biblio collège

Voyage en terre de Brésil

Jean de Léry

Sélection et adaptation en français moderne,
notes, questionnaires
et dossier Bibliocollège
par **Fanny MARIN**,
certifiée de Lettres modernes,
professeur en collège

Crédits photographiques

pp. 5 (danseur et sonneur de maracas, Jean de Léry, *Voyage en terre de Brésil*, première édition, 1578), **15, 43, 69, 77, 81, 84, 91, 95, 103 :** photothèque Hachette Livre.

Conception graphique

Couverture : *Laurent Carré*

Intérieur : *ELSE*

Mise en page

Médiamax

Illustration des questionnaires

Harvey Stevenson

ISBN : 978-2-01-168135-5

Sommaire

AVERTISSEMENT

Écrite à la fin du XVIe siècle, l'*Histoire d'un voyage en terre de Brésil* présente certaines difficultés de langue susceptibles de gêner le lecteur moderne. Pour que le plaisir de la lecture demeure entier et ne soit pas diminué par des problèmes de compréhension, les extraits retenus ont été légèrement modifiés. Nous avons voulu restituer le texte original le plus fidèlement possible, mais outre l'indispensable modernisation de l'orthographe, quelques accommodations, notamment syntaxiques, se sont révélées nécessaires. L'édition qui a servi à l'établissement du texte est celle de Frank Lestringant parue au Livre de Poche (Bibliothèque classique) en 1994.

Introduction

Nous sommes en 1578, en France. Les conflits religieux entre catholiques et protestants font rage, et Jean de Léry, un cordonnier devenu pasteur, prend la plume pour témoigner de l'aventure unique qu'il a vécue vingt ans plus tôt. Il était alors un tout jeune homme, désireux de servir la gloire de Dieu, curieux de découvrir des horizons nouveaux, assoiffé d'aventure, fût-ce au péril de sa vie. Répondant à l'appel d'un nommé Villegagnon parti au Brésil fonder un refuge pour les protestants persécutés en France, il s'est embarqué sans savoir s'il reviendrait de cette expédition peut-être sans lendemain.

C'était alors le temps des grandes découvertes. Pour les Européens, pour le Vieux Monde, le Brésil et ce qu'on appelait encore les Indes occidentales n'existaient que depuis une cinquantaine d'années. Quand Jean de Léry commence à écrire son récit, ces contrées restent encore fascinantes pour beaucoup d'Européens, à la fois merveilleuses et terrifiantes. Ils savent qu'ils ne s'y rendront jamais et ne peuvent qu'en rêver.

Mais pour eux et pour nous, Jean de Léry raconte : la mer immense et déchaînée, une faune et une flore luxuriantes, les Sauvages surtout… Chassé avec ses compagnons du fort de Villegagnon, l'auteur a vécu un an au milieu des Indiens, ces barbares mangeurs d'hommes pourtant plus humains, plus généreux et plus sages que les chrétiens européens. Ouvrage didactique longtemps considéré comme un chef-d'œuvre d'ethnologie, œuvre polémique dénonçant les agissements de Villegagnon, retourné au catholicisme et traitant les protestants avec violence, l'*Histoire d'un voyage en terre de Brésil* est aussi l'ultime tentative d'un homme mûr pour retrouver, revivre et fixer par l'écriture une expérience unique.

C'est ce regard nostalgique, inédit dans la littérature de voyage de la Renaissance, qui est pour beaucoup dans la séduction qu'exerce encore aujourd'hui ce récit. Nous plongeant dans un univers fascinant, un paradis perdu, ouvrant la porte au « mythe du bon sauvage » en vogue au XVIIIe siècle, ce livre des merveilles nous fait prendre conscience de notre être et de nos usages. Face aux Sauvages, l'écart avec cette nature originelle oubliée nous est plus sensible, car la découverte de l'autre est toujours une découverte de soi.

À vous de découvrir ce livre où se mêlent descriptions précises, critiques parfois violentes et caricaturales, anecdotes comiques et rencontres insolites, sous le regard attendri du narrateur… Bon voyage et beaux rêves.

Les raisons qui nous conduirent à entreprendre ce lointain voyage en terre de Brésil

Comme plusieurs cosmographes[1] et historiens de notre époque ont auparavant déjà écrit sur la longueur, la largeur, la beauté et la fertilité de cette quatrième partie du monde appelée Amérique ou terre de Brésil[2], ainsi que sur les îles voisines et les terres frontalières, totalement inconnues des Anciens, comme ils ont aussi parlé de plusieurs expéditions réalisées depuis près de quatre-vingts ans qu'elle fut découverte, je ne m'attarderai pas à traiter ce sujet ni dans son ensemble ni dans le détail. Dans cette histoire, mon intention et mon propos

notes

1. cosmographes : géographes.

2. Brésil : Léry considère généralement que les termes Amérique et Brésil sont synonymes.

consisteront uniquement à faire connaître ce que j'ai vécu, vu, entendu et observé en mer, à l'aller et au retour, et parmi les Sauvages d'Amérique, au milieu desquels je suis resté et ai passé près d'un an. Et afin que toute cette histoire soit bien
15 comprise d'un chacun, je commencerai par le motif qui nous fit entreprendre un si fâcheux et lointain voyage ; j'en donnerai brièvement la raison.

En 1555, un nommé Villegagnon, chevalier de l'Ordre de Malte encore appelé ordre de Saint-Jean de Jérusalem[1],
20 s'ennuyant en France et ayant même reçu quelque mécontentement en Bretagne où il demeurait alors, fit savoir en divers endroits du royaume de France à plusieurs personnages importants de toutes qualités[2], que depuis longtemps il éprouvait une extrême envie de se retirer dans quelque
25 lointain pays, où il pourrait librement et purement servir Dieu selon l'Évangile réformé[3]. Il affirmait aussi qu'il désirait y préparer un endroit pour tous ceux qui voudraient s'y retirer afin d'éviter les persécutions. En effet, celles-ci étaient telles que partout en France à cette époque, nombre de
30 personnes, de tous sexes et de toutes qualités, étaient par édits du Roi et par arrêts des cours de parlement, brûlées vives, et leurs biens confisqués pour motif religieux[4].

En outre, Villegagnon déclara oralement à ceux qui l'entouraient et dans des lettres envoyées à d'autres que, pour
35 avoir entendu tant de récits et de louanges sur la beauté et la fertilité de la partie d'Amérique appelée terre de Brésil,

notes

1. ordre de Saint-Jean de Jérusalem : ordre religieux fondé pour assister les pèlerins catholiques en Terre sainte au XIIe siècle.

2. de toutes qualités : appartenant à tous les rangs sociaux.

3. l'Évangile réformé : livres de la Bible où la vie et l'enseignement de Jésus sont consignés, et que lisent les protestants. Ceux-ci sont des chrétiens ayant rompu avec le catholicisme, car ils pensent que seule la lecture directe de la Bible peut ramener à la foi des origines.

4. pour motif religieux : référence aux persécutions des protestants à la fin du règne de Henri II (de 1547 à 1559).

il prendrait volontiers cette direction et ce chemin pour mener à bien son projet. De fait, sous le couvert de ce beau prétexte, il avait gagné les cœurs de quelques grands sei-
40 gneurs de la Religion réformée, lesquels, guidés par ce même sentiment qu'il prétendait éprouver, souhaitaient trouver une retraite[1] semblable. Parmi eux le regretté seigneur Gaspard de Coligny[2], amiral de France, aimé et estimé du roi Henri II régnant alors, avait fait entendre à
45 ce dernier que si Villegagnon réalisait ce voyage, il pourrait découvrir beaucoup de richesses et nombre d'avantages pour le profit du royaume. Le roi fit par conséquent donner à Villegagnon deux beaux navires équipés et munis d'artillerie ainsi que dix mille francs pour effectuer son
50 voyage.

Alors, avant de quitter la France pourvu de tout cela, Villegagnon promit aux personnes d'honneur qui l'accompagnèrent qu'il établirait le pur service de Dieu là où il s'installerait, et après avoir recruté des matelots et des artisans
55 pour les emmener avec lui, il embarqua au mois de mai de l'année 1555. Après avoir affronté nombre de tempêtes et de périls, et malgré toutes sortes de difficultés, il parvint enfin en novembre suivant dans ce pays.

Une fois arrivé, il débarqua et pensa d'abord s'installer sur
60 un rocher, à l'embouchure d'un bras de mer et d'une rivière d'eau salée nommée par les Sauvages *Ganabara*, laquelle je le dirai en son lieu, est située à vingt-trois degrés au-delà de l'équateur, c'est-à-dire juste sous le tropique du Capricorne. Mais les vagues de la mer le chassèrent. Ainsi forcé de
65 quitter l'endroit, il avança d'environ une lieue[3] à l'intérieur

notes

1. *retraite* : refuge.

2. *Gaspard de Coligny* : principal chef protestant en France.

3. *lieue* : ancienne mesure de distance qui valait environ 4 km.

des terres, et s'installa sur une île jusque-là inhabitée. Après y avoir déchargé son artillerie et le reste de son équipement, il fit entreprendre la construction d'un fort pour se protéger des Sauvages autant que des Portugais, lesquels voyagent beaucoup 70 et possèdent déjà nombre de forteresses dans cette région.

Puis, feignant toujours de brûler du zèle[1] d'avancer le règne de Jésus-Christ, et en persuadant autant qu'il pouvait ses hommes, quand ses navires furent à nouveau chargés et prêts à retourner en France, il écrivit des lettres et envoya 75 exprès dans l'un des bateaux un homme à Genève[2] pour demander à l'Église et au ministre de la Ville de l'aider et de le secourir autant que possible dans cette si sainte entreprise. Mais surtout, afin de poursuivre et d'avancer rapidement l'œuvre qu'il avait entreprise et qu'il désirait de toutes ses 80 forces continuer, disait-il, il priait instamment[3] qu'on lui envoyât des Ministres de la parole de Dieu, mais aussi, afin de bien réformer lui et ses hommes et de conduire les Sauvages à la connaissance de leur salut, que d'autres personnes bien instruites de la Religion chrétienne accompa- 85 gnassent ces Ministres et vinssent le rejoindre [...].

[Pierre Richier, Guillaume Chartier et Philippe du Pont, pasteurs protestants, rejoignent Villegagnon pour prêcher l'Évangile en Amérique.]

Or il fallait encore trouver d'autres personnes instruites 90 des principaux points de la foi, et même, comme Villegagnon le demandait, des artisans experts en leur art. Mais afin de ne

notes

1. zèle : vif désir.

2. Genève : Calvin, réformateur religieux à l'origine d'une doctrine portant son nom, le calvinisme, y avait fondé une république protestante.

3. instamment : en insistant.

tromper personne, Du Pont prévenait du long et fâcheux chemin à parcourir, environ cent cinquante lieues par voie terrestre et plus de deux milles en mer, et ajoutait aussi
95 qu'une fois sur cette terre d'Amérique, au lieu de pain il faudrait se contenter de manger une espèce de farine faite de racine[1], et quant au vin, aucune nouvelle, la vigne ne poussant pas là-bas. En somme, il expliquait que, comme dans un monde nouveau, ainsi que le chantait la lettre de
100 Villegagnon, il faudrait s'accoutumer à des modes de vie et à des nourritures totalement différents des européens. Tous ceux, dis-je, qui préféraient l'idée de ces choses à leur réalité, qui ne désiraient pas changer d'air, ni endurer les flots de la mer et la chaleur de la Zone torride, ni découvrir
105 le pôle Antarctique, ne voulurent pas entrer en lice[2], ni s'engager et embarquer pour un tel voyage.

Néanmoins, après plusieurs semonces[3] et recherches de tous côtés, les hommes que voici, plus courageux semble-t-il que les autres, se présentèrent pour accompagner
110 Du Pont, Richier et Chartier, c'est-à-dire Pierre Bourdon, Matthieu Verneuil, Jean du Bordel, André Lafon, Nicolas Denis, Jean Gardien, Martin David, Nicolas Raviquet, Nicolas Carmeau, Jacques Rousseau, et moi Jean de Léry, qui fus de la partie autant en raison de la bonne volonté que
115 Dieu m'avait donnée dès ce moment de servir sa gloire, que parce que j'étais curieux de découvrir ce monde nouveau. Nous fûmes ainsi au nombre de quatorze à quitter la cité de Genève le dix septembre de l'année 1556 pour réaliser ce voyage. [...]

notes

1. *farine faite de racine* : cette farine est le manioc, dont Léry décrit plus loin la fabrication.

2. *entrer en lice* : s'engager dans une compétition, une entreprise difficile.

3. *semonces* : demandes plus ou moins pressantes, allant de la prière à l'ordre.

Notre embarquement au port d'Honfleur en Normandie, les tempêtes, rencontres et captures de navires, enfin les premières terres et îles que nous découvrîmes

[...] Ainsi, après avoir quitté la terre et commencé à naviguer sur cette vaste et impétueuse[1] mer Océane, le vingt novembre nous découvrîmes et longeâmes la côte anglaise, la laissant à notre droite. Dès ce moment, nous fûmes emportés par une tempête qui dura douze jours, au cours desquels nous fûmes tous très malades de cette maladie que ceux qui vont en mer connaissent bien, et nous étions aussi tous complètement épouvantés par les secousses du navire. En effet, surtout ceux qui n'avaient jamais respiré l'air marin, ni dansé une telle danse, voyant la mer si grosse et déchaînée, croyaient à chaque

notes

1. impétueuse : déchaînée.

ébranlement et à tout instant que les vagues allaient nous faire toucher le fond. Et sans nul doute il est admirable qu'un bateau en bois, fût-il très solide et très grand, puisse
15 ainsi résister à la fureur et à la violence d'un si terrible élément[1]. En effet, les navires ont beau être construits avec du gros bois bien lié, chevillé et goudronné, et celui-là même où j'étais mesurait bien dix-huit toises[2] de long et trois et demie de large, qu'est-ce comparé à la mer du
20 Ponant[3], à ce gouffre, à cet abîme d'eau si vaste et profond ? Ainsi, sans développer davantage ce propos ici, je dirai seulement en passant qu'en règle générale on ne saurait trop estimer la perfection de l'art de la navigation, en particulier l'invention de l'aiguille marine[4], grâce à laquelle on se
25 dirige, mais qui, comme l'écrivent certains, n'est employée que depuis environ deux cent cinquante ans. Agités de la sorte, nous naviguâmes avec beaucoup de difficultés jusqu'au treizième jour après notre embarquement, où Dieu apaisa les vagues et les orages de la mer.

30 Le dimanche suivant, nous rencontrâmes deux navires anglais de marchandise, en provenance d'Espagne, et après que nos matelots les eurent abordés et eurent constaté qu'il y avait du butin, il s'en fallut de peu qu'ils ne les pillassent. En effet, je l'ai dit, nos trois bateaux étaient bien équipés en
35 artillerie et autres munitions de guerre, et nos marins, s'en estimant d'autant plus forts et redoutables, les bateaux plus faibles qui se trouvaient à leur merci sur leur route n'étaient pas en sécurité.

notes

1. élément : la mer ou l'ensemble des forces naturelles qui l'agitent.

2. toise : mesure de longueur qui valait environ 2 m.

3. mer du Ponant : mer située à l'ouest, là où le soleil se couche, par opposition au Levant, à l'est.

4. l'aiguille marine : la boussole, aiguille aimantée indiquant le nord.

Cela venant à propos ici, je dois dire que lors de cette
40 première rencontre d'un navire, j'ai vu pratiquer en mer ce qui se fait le plus souvent aussi sur la terre ferme, c'est-à-dire que celui qui a les armes en main et qui est le plus fort, l'emporte et dicte sa loi à son compagnon. Il est vrai que messieurs les marins, en calant la voile[1] et en rattrapant les
45 pauvres bateaux de marchandise, leur allèguent[2] d'ordinaire que depuis longtemps, ne pouvant aborder aucune terre ni port à cause des tempêtes et des accalmies, ils voguent en mer sans nourriture, et prient que moyennant finance on leur en fournisse. Mais si, sous ce prétexte, ils peuvent
50 monter à bord du bateau voisin, ne demandez pas si, pour l'empêcher d'aller au fond, ils le déchargent de tout ce qui leur semble bon et beau. Et si alors on leur montre (comme nous faisions toujours en effet) qu'il est incohérent de piller ainsi indifféremment amis et ennemis, la chanson commune
55 de nos soldats de terre, qui en pareil cas allèguent pour toute raison que c'est la guerre et la coutume et qu'il faut s'y habituer, ne leur fait pas défaut.

Mais par ailleurs, en manière de préface, je dirai que les Espagnols, et plus encore les Portugais comme nous le
60 verrons après à travers plusieurs exemples, se vantant d'avoir découvert les premiers la terre de Brésil, voire tout le continent depuis le détroit de Magellan, situé à environ cinquante degrés du côté du pôle Antarctique, jusqu'au Pérou, et encore au-delà de l'équateur, soutiennent par conséquent
65 qu'ils sont les maîtres de ces contrées. Alléguant[3] ainsi que les Français qui y voyagent sont des usurpateurs[4], s'ils les rencontrent en mer à leur avantage, ils leur livrent une guerre

notes

1. *en calant la voile :* en baissant la voile.

2. *allèguent :* se justifient en disant.

3. *alléguant :* prétextant.

4. *usurpateur :* imposteur.

farouche au point même d'en avoir écorché vif ou fait mourir d'autre mort cruelle. Soutenant le contraire, estimant qu'ils ont leur part dans la découverte récente de ces régions, les Français ne se laissent pas volontiers vaincre par les Espagnols, encore moins par les Portugais, et au contraire, tout en se défendant vaillamment, ils rendent souvent la pareille à leurs ennemis, lesquels à la vérité n'oseraient les aborder ni les attaquer s'ils ne se voyaient beaucoup plus forts et avec une flotte[1] plus importante. [...]

Carte portugaise de 1519.

notes

1. flotte : ensemble de navires de guerre ou de commerce.

Les tempêtes, les vents inconstants, les pluies infectes, la chaleur, la soif et les autres désagréments dont nous souffrîmes sous l'équateur, ou ligne équinoxiale

Pour revenir à notre voyage en mer, notre bon vent nous ayant fait défaut à trois ou quatre degrés au-delà de l'équateur, nous eûmes alors fort mauvais temps, avec pluies suivies d'accalmies. Mais aussi la navigation est difficile, voire très dangereuse près de cette ligne équinoxiale, et à cause des divers vents inconstants qui soufflaient tous ensemble, bien que nos trois bateaux fussent assez proches l'un de l'autre, et sans que ceux qui tenaient les timons et les gouvernails[1] pussent faire autrement, j'ai

notes

1. les timons et les gouvernails : instruments permettant de diriger le navire.

vu chaque bateau poussé par un vent contraire, au point que, comme en un triangle, l'un allait à l'est, l'autre au nord, et le troisième à l'ouest. Certes cela ne durait pas longtemps, car soudain s'élevaient des tourbillons que les marins normands appellent grains, et qui après nous avoir parfois arrêtés tout nets, au même instant tempêtaient au contraire si fort dans les voiles de nos bateaux que c'est miracle que cent fois ils ne nous aient renversés les hunes[1] en bas et la quille[2] en haut, c'est-à-dire sens dessus dessous.

En outre, la pluie qui tombe sous et aux environs de cette ligne équinoxiale, non seulement pue et sent très mauvais, mais elle est aussi contagieuse au point que si elle tombe sur la peau, elle engendre des pustules et de grosses cloques, et même tâche et gâte les vêtements. Par ailleurs, le soleil est si brûlant qu'en plus des extrêmes chaleurs que nous endurions, et parce qu'en dehors des deux maigres repas nous n'avions pas d'eau douce ni d'autre boisson à la demande, nous étions terriblement pressés par la soif, et pour ma part, ayant essayé de boire cette eau, l'haleine et le souffle m'ont presque manqué et je n'ai pu prononcer une seule parole pendant plus d'une heure. Voilà pourquoi, dans ces longs voyages et dans ces situations si difficiles, le plus grand bonheur que souhaitent ordinairement les marins est que la mer soit changée en eau douce. Et si là-dessus quelqu'un demande si, au lieu d'imiter Tantale mourant de soif au milieu des eaux[3], il ne serait pas possible dans cette situation

notes

1. hunes : plates-formes arrondies à l'avant qui reposent sur un mât.

2. quille : pièce située dans la partie inférieure d'un navire.

3. Tantale mourant de soif au milieu des eaux : allusion au supplice de Tantale, roi mythique condamné à mourir de soif alors qu'il est entouré d'eau.

extrême de boire, ou du moins se rafraîchir la bouche avec de l'eau de mer, je réponds que quelque recette qu'on me propose, comme faire couler cette eau dans de la cire, ou la distiller[1] par un autre procédé (sans compter qu'en mer les
40 mouvements et secousses des bateaux ne sont pas très indiqués pour installer les fourneaux[2] ni pour empêcher les bouteilles de casser), il n'est pas question d'y goûter, encore moins de l'avaler, à moins de vouloir cracher tripes et boyaux à l'instant même où elle sera entrée en nous.
45 Néanmoins, à la voir dans un verre, elle est aussi claire, pure et d'apparence aussi limpide qu'aucune[3] eau de fontaine ou de roche. En outre, chose qui m'a étonné et dont je laisse les philosophes discuter, si vous laissez tremper dans cette eau de mer du lard, du hareng, ou toute autre viande ou poisson
50 aussi salés soient-ils, ils se dessaleront mieux et plus rapidement que dans l'eau douce.

Or, pour revenir à mon sujet, le comble de notre malheur sous cette Zone brûlante fut qu'en raison des fortes et continuelles pluies qui avaient pénétré jusque dans la soute, notre
55 biscuit était gâté et moisi, et outre que chacun n'en avait que fort peu, il nous fallait, en plus de le manger ainsi pourri, n'en rien jeter sous peine de mourir de faim, et avaler autant de vers, dont il était composé à moitié, que de miettes. Qui plus est, nos eaux douces étaient elles aussi tellement infes-
60 tées et remplies de vers que, rien qu'en les retirant des récipients où on les garde en mer, personne n'avait le cœur assez bien accroché pour se retenir de cracher. Mais pis encore,

notes

1. distiller : purifier.

2. fourneaux : appareils destinés à chauffer l'eau et à la purifier par ce moyen.

3. qu'aucune : que n'importe quelle.

pour en boire il fallait tenir la tasse d'une main et, à cause de la puanteur, se boucher le nez de l'autre.

65 Que dites-vous de cela, messieurs les délicats ? Vous qui, un peu pressés par la chaleur, après avoir changé de chemise et vous être bien fait coiffer, aimez rester au calme dans la belle salle fraîche, installés sur une chaise ou un divan. Vous qui ne sauriez pas non plus prendre vos repas que la vaisselle 70 ne soit fort reluisante, le verre bien rincé, les serviettes blanches comme neige, le pain correctement tranché, la nourriture, aussi délicate soit-elle, préparée et servie avec soin, et le vin ou toute autre boisson clair comme l'émeraude. Souhaitez-vous embarquer pour vivre ainsi ? Je vous 75 le déconseille, et vous en aurez encore moins envie après avoir entendu ce qui nous arriva à notre retour. En revanche je vous prierais que, lorsqu'il est question de la mer, en particulier de ce genre de voyages, n'en sachant rien que par les livres ou, pis encore, en ayant seulement entendu parler par 80 ceux qui jamais n'en revinrent, vous n'essayiez pas, ayant le dessus, de vendre vos coquilles, comme on dit, à ceux qui se sont rendus à Saint-Michel[1]. Cédez un peu sur ce sujet, et laissez discourir ceux qui, pour avoir enduré ces souffrances ont connu la réalité des choses, lesquelles à dire vrai ne peu- 85 vent pénétrer la cervelle ou l'entendement des hommes à moins qu'ils n'aient, comme dit le proverbe, mangé de la vache enragée. [...]

notes

1. vendre vos coquilles* [...] *à ceux qui se sont rendus à Saint-Michel : vouloir en remontrer, en imposer aux connaisseurs.

Au fil du texte

Questions sur les chapitres 1, 2 et 4 (pages 7 à 19)

Avez-vous bien lu ?

1. Quelles sont les raisons qui poussent Villegagnon à entreprendre un voyage au Brésil (chap. 1) ?

2. Pourquoi est-il difficile de trouver des volontaires pour cette expédition (chap. 1) ?

3. Qu'est-ce qui conduit Jean de Léry à s'embarquer pour l'Amérique (chap. 1) ?

4. Qu'est-ce qui provoque l'admiration du narrateur* en matière de navigation (chap. 2) ?

5. Quelles sont les relations entre marins espagnols, portugais et français (chap. 2) ?

6. Quels sont les désagréments dont souffrent les voyageurs dans la zone équatoriale (chap. 4) ?

Étudier le vocabulaire

7. Donnez un mot de la même famille que « *feignant* » (ligne 71, page 10). Employez un synonyme* de « *feindre* » dans une phrase de votre composition.

8. Au chapitre 2, relevez le champ lexical* de la mer et de la navigation.

Étudier le discours

9. En vous appuyant sur le texte, décrivez la situation de communication*.

10. Au chapitre 1, relevez les termes et expressions indiquant que Jean de Léry met en doute les bonnes intentions de Villegagnon.

narrateur : celui qui raconte l'histoire.

synonyme : mot ou expression de même sens ou de sens voisin.

champ lexical : ensemble des termes et expressions se rapportant à une même idée.

situation de communication : elle donne l'identité de celui qui produit le message, de celui ou ceux auxquels il est destiné, des autres récepteurs, et précise le code, le canal et les circonstances de la création du message.

ÉTUDIER LE GENRE DU TEXTE : UN RÉCIT DE VOYAGE

11. Par rapport à quels autres écrits l'auteur situe-t-il son œuvre (chap. 1) ?

12. Quel est son but (chap. 1) ?

13. Chapitre 4, lignes 76 à 87 : selon Jean de Léry, qu'est-ce qui fait la force et la valeur de son récit ?

ÉTUDIER UN THÈME : LA CRITIQUE DE LA SOCIÉTÉ EUROPÉENNE

14. Chapitre 4, lignes 65 et suivantes : quels sont les éléments qui provoquent une rupture brutale dans le dernier paragraphe ?

15. Quelle est la double critique du narrateur dans ce paragraphe ?

À VOS PLUMES !

16. Vous aussi vous êtes parti(e) à la découverte d'une terre inconnue. Le voyage en mer était périlleux, mais revenu(e) sain(e) et sauf (sauve), vous racontez votre aventure, à la première personne, en vous adressant à un camarade resté chez lui. En réemployant le vocabulaire de la mer, faites-lui partager les dangers et les désagréments dont vous avez souffert.

La première fois que nous découvrîmes et aperçûmes l'Inde occidentale, ou terre de Brésil, ses habitants les Sauvages, et toutes nos aventures en mer jusque sous le tropique du Capricorne

Par la suite, le vent d'ouest nous fut propice et souffla si bien que, le vingt-six février 1557 après Jésus-Christ, sur les huit heures du matin, nous aperçûmes l'Inde occidentale, terre de Brésil, quatrième partie du monde inconnue des Anciens, encore appelée Amérique, du nom de celui qui la découvrit le premier vers 1497[1]. Il n'est pas nécessaire de demander si, nous voyant aussi proches du lieu désiré, dans l'attente d'y poser rapide-

notes

1. ***qui la découvrit le premier vers 1497 :*** suite à l'erreur d'un cosmographe allemand qui attribua à Amerigo Vespucci, navigateur italien, la découverte du Nouveau Monde, celui-ci est depuis désigné par son prénom.

ment le pied, nous étions heureux et en rendions grâce à
Dieu de tout notre cœur. En effet, comme il y avait près de
quatre mois que nous naviguions sans nous arrêter dans un
port, toujours en mouvement, toujours flottant sur la mer,
nous avions souvent songé être comme exilés, et ne jamais
devoir nous en sortir. Ainsi, après avoir très clairement
constaté et vérifié que nous avions découvert la terre ferme,
car en mer on se trompe souvent avec des nuages qui
s'évanouissent, nous mîmes le cap dessus, poussés par un
vent propice. Le jour même, notre amiral nous ayant devancés, nos bateaux abordèrent et mouillèrent l'ancre à une
demi-lieue d'un endroit fort montueux[1] appelé *Huvassou*
par les Sauvages. Après avoir mis la barque à l'eau et tiré
quelques coups de canon pour avertir les habitants, selon la
coutume à l'arrivée dans ce pays, nous vîmes immédiatement une foule de Sauvages, hommes et femmes, sur le
rivage. Cependant, comme quelques marins ayant autrefois
voyagé dans ces contrées s'en aperçurent, ces Sauvages
appartenaient à la nation nommée *Margajas*, alliée des
Portugais, et par conséquent ennemie des Français au point
que s'ils avaient eu l'avantage sur nous, notre seule rançon
eût été de leur servir de repas après avoir été assommés et
découpés en morceaux. En premier lieu nous découvrîmes
aussi en ce mois même de février, où à cause du froid et du
gel tout dans nos régions et à travers presque toute l'Europe
est si resserré et caché dans le ventre de la terre, les forêts, les
bois et les prairies de cette contrée-là aussi verdoyants qu'en
mai et juin en France – ce que l'on peut voir toute l'année
et en toutes saisons au Brésil.

notes

1. montueux : montagneux.

Malgré cette inimitié[1] des *Margajas* à l'encontre des Français, qu'eux et nous dissimulions le plus possible, notre contremaître, qui connaissait un peu leur jargon, et quelques matelots montèrent dans la barque et se dirigèrent vers le rivage, où l'on voyait toujours cette foule de Sauvages assemblés. Mais nos hommes ne se fiant à eux pas plus qu'il ne fallait pour ne pas risquer d'être pris et *boucanés*, c'est-à-dire rôtis, ne s'approchèrent pas du rivage au-delà de la portée de leurs flèches. Là ils les appelèrent et leur montrèrent de loin des couteaux, des miroirs, des peignes et diverses baguenaudes[2] en échange desquelles ils leur demandèrent des vivres, et aussitôt que quelques Sauvages qui s'étaient approchés le plus près possible eurent entendu, sans se faire prier davantage, avec d'autres compagnons ils allèrent vite en chercher. Si bien qu'à son retour, notre contremaître nous rapporta de la farine de racine que les Sauvages mangent à la place du pain, des jambons, de la chair d'une espèce particulière de sangliers, force victuailles[3] et des fruits en abondance comme on les trouve dans ce pays. Mais aussi pour nous les offrir et nous souhaiter la bienvenue, six hommes et une femme ne firent pas de difficultés à monter en barque et à venir nous voir dans le bateau. Parce que ce furent les premiers Sauvages que je vis de près, je vous laisse à penser si je les regardai et contemplai avec soin, et bien que je me réserve de les décrire et de les peindre en détail en un lieu mieux choisi, je veux dès à présent en dire ici un mot en passant. Premièrement, les hommes comme la femme étaient aussi complètement nus qu'au sortir du ventre de leur mère, mais pour être plus élégants, ils avaient tout le

notes

1. ***inimitié :*** haine, hostilité.

2. ***baguenaudes :*** objets sans valeur, niaiseries.

3. ***force victuailles :*** beaucoup de nourriture.

corps peint en noir. Par ailleurs, les hommes étaient tondus de près sur le devant de la tête, comme les moines tonsurés[1], et derrière ils portaient les cheveux longs, mais rasés autour du cou comme ceux qui ont une perruque chez nous. En outre, ils avaient tous la lèvre inférieure trouée et percée, et y portaient une pierre verte, polie avec soin, placée et enchâssée avec précision, large et ronde comme un teston[2], laquelle ils ôtaient et remettaient quand bon leur semblait. Ils portent ces objets pour être mieux parés, mais à vrai dire, la pierre retirée, cette large fente dans la lèvre inférieure leur dessine comme une seconde bouche, qui les défigure complètement. Quant à la femme, outre qu'elle n'avait pas la lèvre fendue, elle avait les cheveux longs comme les femmes de là-bas. Mais à ses oreilles, si affreusement percées qu'on aurait pu passer le doigt dans les trous, elle portait de longs pendants d'os blanc, qui lui descendaient jusqu'aux épaules. Je me réserve aussi de réfuter plus tard l'erreur de ceux qui ont voulu nous faire croire que les Sauvages étaient poilus. Mais avant que ceux dont je parle nous quittent, les hommes, et principalement deux ou trois vieillards qui semblaient être parmi les plus importants de leurs paroisses, comme on dit ici, alléguant[3] qu'il y avait dans leur région le plus beau bois de Brésil qui se pût trouver dans tout le pays, promirent de nous aider à le couper et à le porter, également de nous fournir la nourriture, et firent ainsi tout leur possible pour nous persuader de décharger notre bateau à cet endroit. Mais comme je l'ai dit, ils étaient nos ennemis et

notes

1. les moines tonsurés : les moines ont le sommet de la tête rasé en forme de cercle, c'est la tonsure.

2. teston : ancienne pièce de monnaie.

3. alléguant : prétextant.

c'était là nous inviter et finement nous pousser à mettre pied
95 à terre, pour ensuite, ayant l'avantage sur nous, nous découper en morceaux et nous manger. Ainsi, outre que nous nous rendions ailleurs, nous n'avions garde de nous arrêter là.

Nos *Margajas* contemplèrent avec beaucoup d'attention et d'admiration notre artillerie et tout ce qu'ils voulurent
100 dans notre bateau. Puis comme nous ne voulions pas les fâcher ni les retenir en raison d'éventuelles suites fâcheuses, en particulier afin que d'autres Français arrivant là sans y penser n'aient pas à en supporter les conséquences, ces Sauvages nous ayant demandé de retourner à terre avec
105 leurs compagnons qui les attendaient toujours sur le rivage, nous voulûmes les payer pour les remercier des vivres qu'ils nous avaient apportés. Parce qu'entre eux ils ne recourent à aucune monnaie, nous les payâmes avec des chemises, des couteaux, des hameçons de pêche, des miroirs et diverses
110 marchandises et merceries[1] propres au commerce avec ce peuple. Pour en finir, et pour le piquant de l'anecdote, ces braves gens complètement nus à leur arrivée et pas chiches[2] de nous dévoiler tout leur corps, alors qu'au moment de partir ils avaient revêtu les chemises que nous leur avions
115 offertes, quand ils durent s'asseoir dans la barque, n'ayant pas l'habitude de porter le moindre vêtement, ils les retroussèrent jusqu'au nombril pour ne pas les abîmer. Et montrant ainsi ce qu'ils auraient dû plutôt cacher, en prenant congé de nous ils voulurent à nouveau nous faire voir leur derrière et
120 leurs fesses. Ne voilà-t-il pas d'honnêtes officiers, et une belle marque de civilité pour des ambassadeurs ? Car en

notes

1. *merceries* : ici, synonyme de « marchandises ».

2. *chiches* : avares. Les Sauvages n'ont pas hésité à se montrer tout nus.

dépit du proverbe, si répandu sur toutes nos bouches ici, que la chair est plus proche et plus précieuse que la chemise, eux, au contraire, pour nous montrer qu'ils ne sont pas logés à
125 cette enseigne, et peut-être comme une marque d'honneur de leur nation à notre égard, nous montrant le cul, préfèrent la chemise à la peau. [...]

Le premier mars, nous naviguions à la hauteur des petites Basses[1], écueils et promontoires[2] formés de terre et de petits
130 rochers qui s'avancent en mer, et dont les marins s'éloignent le plus possible pour les éviter, de crainte de les heurter avec leurs bateaux.

Au niveau de ces Basses, nous découvrîmes et distinguâmes nettement une plaine, longue d'environ quinze
135 lieues[3], possédée et habitée par les *Ouetacas*, Sauvages des plus farouches et étranges, qui, ne pouvant demeurer en paix, sont en perpétuelle guerre ouverte avec tous leurs voisins et généralement tous les étrangers. Pressés et poursuivis par leurs ennemis, qui cependant n'ont jamais su les vaincre
140 ni les soumettre, ils ont de si bonnes jambes et courent si vite qu'ils évitent ainsi le danger de mort, mais aussi à la chasse ils prennent même à la course certaines bêtes sauvages, sortes de cerfs et de biches. En outre, même si comme tous les autres Brésiliens, ils sont entièrement nus, néanmoins contre
145 la coutume ordinaire des hommes de là-bas (qui comme je l'ai dit et le décrirai plus amplement, se tondent le devant de la tête, et rasent derrière leur perruque), eux portent les cheveux longs jusqu'aux fesses. En somme, ces diablotins d'*Ouetacas*, invincibles dans cette petite région, qui mangent

notes

1. Basses : ce sont des hauts-fonds.

2. écueils et promontoires : rochers contre lesquels un navire risque de se briser.

3. lieue : ancienne mesure de distance qui valait environ 4 km.

150 de la chair crue comme les chiens et les loups, et dont le langage est incompréhensible même à leurs voisins, doivent être tenus et mis au rang des nations les plus barbares, cruelles et redoutées de toute l'Inde occidentale et terre de Brésil. Au demeurant, n'ayant ni ne souhaitant le moindre contact ni 155 le moindre commerce avec les Français, les Espagnols, les Portugais ou les autres peuples d'outre-mer, ils ne connaissent pas nos marchandises. Néanmoins, comme je l'ai appris depuis d'un truchement[1] de Normandie, quand leurs voisins en ont et souhaitent leur en proposer, voici comment 160 ils procèdent aux échanges. Le *Margaja*, le *Caraja*, ou le *Toüoupinambaoult*, noms des trois nations voisines, ou d'autres Sauvages de l'endroit, sans se fier ni approcher l'*Ouetaca*, lui montre de loin ce qu'il a, serpe, couteau, peigne, miroir ou toute autre marchandise ou mercerie que nous leur appor-165 tons, et lui demande par signes s'il veut les échanger. Si de son côté l'autre est d'accord, à son tour il lui montre de la plumasserie[2], des pierres vertes pour leurs lèvres, ou divers objets de leur pays, puis ils conviennent d'un endroit à trois ou quatre cents pas de là. Le premier ayant apporté et posé 170 sur une pierre ou une bûche de bois l'objet qu'il souhaite échanger, il reculera sur le côté ou en arrière. Puis l'*Ouetaca* viendra prendre l'objet, laissera lui aussi au même endroit ce qu'il avait montré, et s'éloignant à son tour il fera place et laissera le *Margaja* ou tout autre, quel qu'il soit, venir cher-175 cher sa marchandise. Jusque-là ils se tiennent mutuellement promesse. Mais l'échange réalisé, sitôt que le *Margaja* s'est retourné et a franchi la limite où il s'était d'abord présenté,

notes

1. truchement : interprète.

2. plumasserie : ornement de plumes.

la trêve est rompue, et c'est alors à qui pourra rattraper l'autre pour lui enlever ce qu'il emporte. Je vous laisse à 180 penser si, rapide comme un lévrier, l'*Ouetaca* a l'avantage, et si, poursuivant de près son homme, il le presse bien d'avancer. C'est pourquoi, à moins qu'ils ne souhaitent perdre leurs marchandises, je déconseille aux boiteux, goutteux[1], ou autres mal emmanchés de chez nous d'aller 185 marchander et faire des échanges avec ce peuple. [...]

Le dimanche sept mars 1557, laissant la haute mer à gauche, à l'est, nous entrâmes dans un bras de mer, la rivière d'eau salée nommée *Ganabara* par les Sauvages, et Genevre[2] par les Portugais, car, dit-on, ils la découvrirent le premier 190 janvier, ainsi nommé dans leur langue. Alors, je l'ai dit au premier chapitre de cette histoire et vais à présent le développer plus amplement, nous trouvâmes Villegagnon installé depuis l'année précédente sur une petite île de ce bras de mer. Après l'avoir salué à coups de canon à une distance 195 d'environ un quart de lieue, après qu'il nous eut répondu à son tour, nous abordâmes enfin et mouillâmes l'ancre juste à côté. Voilà en définitive comment se déroula notre voyage, ce qui nous arriva et ce que nous vîmes en nous rendant au Brésil.

notes

1. goutteux : atteints de la goutte, maladie caractérisée par des inflammations douloureuses aux articulations.

2. Genevre : désigne la baie de Rio de Janeiro.

Au fil du texte

Questions sur le chapitre 5 (pages 22 à 29)

Avez-vous bien lu ?

1. Combien de temps a duré le voyage en mer de Jean de Léry et de ses compagnons ?

2. Donnez un titre aux différents paragraphes de ce chapitre.

narration : action de raconter.

Étudier la grammaire

3. Lignes 64 à 82 : relevez les temps utilisés et justifiez leur emploi.

Étudier le discours : les interventions du narrateur

4. Lignes 59 à 97 : relevez les pronoms personnels de la première personne du singulier. À quel moment et pourquoi le narrateur emploie-t-il ces pronoms ?

5. À quel temps sont les verbes conjugués avec ces pronoms ?

6. Dans ces mêmes lignes, relevez les verbes se rapportant à la narration*.

Étudier un thème : la découverte de l'autre

7. En citant le texte, dites quelles sont les relations entre *Margajas* et Français ?

8. Relevez tout ce qui effraye les Français chez les *Margajas*.

9. Quels sont les éléments qui rendent les *Margajas* à la fois sympathiques et fascinants ?

10. En vous aidant des deux questions précédentes, dites quelle est la différence essentielle entre Français et *Margajas*.

11. Qu'est-ce qui rend les *Ouetacas* plus effrayants que les *Margajas* ?

À VOS PLUMES !

12. En vous inspirant de la description des *Margajas* par Jean de Léry, complétez leur portrait : précisez leurs caractéristiques physiques et leurs comportements. Comme l'auteur, veillez à employer l'imparfait de description.

13. Séduits par la proposition des *Margajas*, les Français décident de s'installer à cet endroit, à leurs risques et périls. En restant cohérent avec le chapitre que vous venez de lire, imaginez la suite des événements.

Chapitre 6

Notre installation dans le fort de Coligny au Brésil. L'accueil de Villegagnon, son attitude concernant la religion et sa manière de gouverner dans ce pays

[...] Ainsi, dès le lendemain et les jours suivants, sans que la nécessité l'y forçât, sans aucun égard pour notre extrême faiblesse due au voyage en mer, ni pour la chaleur ordinaire en ce pays, en plus du peu de nourriture – soit en tout deux gobelets chacun par jour de farine dure, faite de racines, déjà mentionnée, dont une partie nous servait à faire de la bouillie avec cette eau trouble de la citerne dont il a été question, et dont nous mangions le reste sec comme les gens du pays –, Villegagnon nous fit porter la terre et les pierres dans son fort à toute vitesse. Malgré ces incommodités et ces faiblesses, nous étions contraints de résister à la tâche du point du jour à la tombée de la nuit, et Villegagnon, à ce qu'il semblait, nous traitait bien plus durement que le devoir d'un bon père,

15 ce qu'à notre arrivée il avait déclaré vouloir être pour nous, ne l'exige de ses enfants. Toutefois, autant pour notre vif désir que ce fort, cette retraite qu'il disait vouloir bâtir pour les fidèles dans ce pays, soit achevé, que parce que maître Pierre Richier, notre plus ancien ministre, pour nous encou-
20 rager davantage, disait que nous avions trouvé un second saint Paul en Villegagnon, et à dire vrai jamais je n'entendis quelqu'un mieux parler de la Religion et de la Réformation chrétienne[1] que lui à cette époque, parmi nous donc il n'y en avait aucun qui, pour le dire ainsi, ne s'employât à ce
25 travail, pourtant inhabituel, au-delà de ses forces, avec joie même, pendant environ un mois. C'est pourquoi je peux affirmer que Villegagnon s'est injustement plaint de nous, car tant qu'il fit profession de l'Évangile dans ce pays, il obtint de nous tout ce qu'il voulut.
30 [...] Puisque cela vient à propos, je raconterai l'action cruelle que je le vis exercer à cette époque sur un Français nommé La Roche, qu'il gardait enchaîné. L'ayant fait s'allonger complètement par terre et, par un de ses satellites[2], frapper sur le ventre à grands coups de bâton, au point qu'il
35 en perdait presque le souffle et la respiration, après que le pauvre homme fut ainsi meurtri d'un côté, cet homme inhumain dit : « Par le corps de saint Jacques le Paillard, tourne-toi. » Et bien que pris d'une pitié incroyable chez lui il abandonnât ce pauvre homme étendu, complètement
40 brisé et à moitié mort, celui-ci ne fut pas même autorisé pour cette raison à suspendre son activité de menuisier. D'autres Français étaient pareillement tenus enchaînés par

notes

1. Réformation chrétienne : pour Léry, il s'agit de la Réforme protestante.

2. satellites : hommes de main chargés d'exécuter les volontés du chef.

Villegagnon pour le même motif que ce La Roche, c'est-à-dire qu'à cause du mauvais traitement qu'il leur faisait subir
45 avant notre arrivée, ils avaient arrêté[1] de le jeter à la mer. Plus mal traités qu'aux galères, certains d'entre eux, charpentiers de profession, abandonnèrent Villegagnon et préférèrent se rendre sur la terre ferme avec les Sauvages, qui les traitaient aussi plus humainement, que demeurer plus
50 longtemps avec lui. De même, trente ou quarante Sauvages *margajas*, hommes et femmes, que les *Toüoupinambaoults*, nos alliés, avaient capturés à la guerre et lui avaient vendus comme esclaves, étaient traités encore plus cruellement. Ainsi je le vis une fois faire embrasser[2] une pièce d'artillerie
55 à l'un d'entre eux nommé *Mingant*, sur les fesses duquel, pour une faute méritant à peine une réprimande, il fit cependant fondre et tomber goutte à goutte du lard brûlant. La situation était telle que ces pauvres gens disaient souvent dans leur langue : « Si nous avions su que *Paycolas*, ainsi appe-
60 laient-ils Villegagnon, nous traiterait ainsi, au lieu de venir à lui nous nous serions plutôt laissé manger par nos ennemis. »

Voilà en passant un petit mot sur son inhumanité, et je serais heureux d'arrêter de parler de lui si ce n'est que, comme je l'ai dit précédemment, quand nous eûmes débar-
65 qué sur son île, il déclara ouvertement vouloir réformer tout ce qu'il y a de superflu dans l'habillement.

Il me faut donc encore mentionner le bon exemple qu'il donna, et son comportement sur ce point. Ainsi, possédant quantité de tissus de soie et de laine, qu'il préférait laisser
70 pourrir dans ses coffres plutôt qu'en revêtir ses hommes, nombre d'entre eux allant presque tout nus néanmoins, mais

notes

1. arrêté : décidé.

2. embrasser : entourer de ses bras.

aussi de camelots[1] de toutes les couleurs, il se fit faire six habits, un pour chaque jour de la semaine, la casaque[2] et les chausses toujours identiques, en rouge, jaune, tanné[3], blanc, bleu et vert. Chacun peut juger si cela convenait à son âge, à la profession et au rang qu'il prétendait tenir. Aussi à la couleur de son habit, nous devinions presque son humeur pour la journée. De sorte qu'apercevant le vert et le jaune en un lieu, nous pouvions dire avec certitude qu'il ne faisait pas bon y être. Surtout lorsqu'il était paré d'un long vêtement de camelot jaune, bordé de velours noir, fort beau à voir dans cet équipage[4], les plus joyeux de ses hommes disaient qu'il ressemblait alors à un véritable enfant sans souci[5]. Après son retour dans notre pays, si celui ou ceux qui le représentèrent en Sauvage, tout nu au-dessus de la grande marmite renversée, avaient eu connaissance de ce bel habit, il ne fait aucun doute qu'ils le lui eussent laissé pour lui servir de joyaux et d'ornements, comme ils lui laissèrent sa croix et son flageolet pendus au cou[6].

[…] Enfin, après que par monsieur du Pont nous eûmes fait savoir à Villegagnon que puisqu'il avait rejeté l'Évangile, nous n'étions plus en rien ses sujets, que nous n'entendions plus être à son service, et refusions de continuer à porter la terre et les pierres dans son fort, apprenant cela et pensant

notes

1. camelots : étoffes fines, laine mêlée de soie.

2. casaque : cape, long manteau.

3. tanné : brun clair comme le tan, écorce de chêne employée dans la préparation des cuirs.

4. équipage : costume, accoutrement.

5. enfant sans souci : joyeux luron. Les « enfants sans souci » étaient des hommes de loi regroupés dans une sorte de troupe théâtrale organisant des spectacles comiques.

6. sa croix et son flageolet pendus au cou : le flageolet est une flûte. Allusion à la caricature de Villegagnon en cyclope, géant à un œil, mi-nu, une massue à la main et une flûte autour du cou.

95 vivement nous effrayer, voire nous faire mourir de faim si possible, il nous interdit les deux gobelets de farine de racine que chacun de nous, je l'ai dit, recevait tous les jours. Mais il s'en fallut de beaucoup que nous en fussions fâchés. Au contraire, nous obtenions plus de farine contre une 100 serpe, deux ou trois couteaux échangés aux Sauvages – qui venaient souvent nous voir sur l'île dans leurs petites barques, ou que nous allions trouver dans leurs villages – que Villegagnon n'aurait su nous en fournir en une demi-année. Surtout nous fûmes bien heureux suite à un tel refus de ne plus 105 être en rien soumis à son autorité. Mais s'il avait été le plus fort et qu'une partie de ses hommes, et des plus importants, n'avait été de notre côté, nul doute qu'il n'aurait pas arrangé nos affaires et aurait essayé de nous soumettre par la force.

[…] Pour en finir avec ce que je voulais dire sur 110 Villegagnon, vers la fin du mois d'octobre, selon le proverbe qui dit que qui veut se débarrasser de quelqu'un en cherche le prétexte, parce qu'il nous haïssait toujours plus, nous et notre doctrine[1], il déclara ne plus vouloir nous supporter ni endurer notre présence dans son fort, ou sur son île, et 115 ordonna notre départ. Je l'ai dit, en vérité nous avions les moyens de l'en chasser si nous l'avions voulu. Mais pour lui ôter tout sujet de se plaindre de nous, et parce qu'en plus des raisons déjà données, la France et les autres pays étaient persuadés que nous nous étions rendus outre-mer pour y vivre 120 selon l'Évangile réformé, de peur de porter préjudice à celui-ci, nous préférâmes obéir à Villegagnon, et sans protester davantage, lui céder la place. Ainsi après environ huit mois passés dans cette île et ce fort de Coligny que nous

notes

1. *doctrine* : la Religion réformée.

avions aidé à construire, nous partîmes pour nous rendre sur
125 la terre ferme, où nous demeurâmes deux mois jusqu'au départ d'un navire venu du Havre de Grâce pour charger du bois de brésil, et avec le capitaine duquel nous marchandâmes notre retour en France. Nous nous installâmes sur la rive gauche de la rivière *Ganabara*, au lieu nommé par les
130 Français la Briqueterie, à seulement une demi-lieue du fort. Là, allant et venant, nous vivions, mangions et buvions avec les Sauvages, qui sans comparaison se montrèrent plus humains avec nous que celui qui sans la moindre raison n'avait pu nous supporter. Quant aux Sauvages, ils nous
135 rendaient souvent visite et nous apportaient des vivres et diverses choses dont nous avions besoin. Après avoir brièvement décrit dans ce chapitre l'inconstance et les changements dont j'ai été témoin chez Villegagnon en matière de Religion, le traitement qu'il nous fit subir pour ce motif,
140 ses discussions et ce qu'il prétexta pour se détourner de l'Évangile, son comportement et ses propos habituels dans ce pays, son inhumanité envers ses hommes, et la manière somptueuse dont il était vêtu, je me réserve de raconter, lorsqu'il sera question de notre embarquement pour le
145 retour, son adieu et la façon dont il nous trahit à notre départ de la terre des Sauvages. Afin de traiter d'autres points, je laisserai pour l'instant Villegagnon battre et torturer ses hommes dans son fort [...].

Au fil du texte

Questions sur le chapitre 6 (pages 32 et 37)

AVEZ-VOUS BIEN LU ?

1. Quelles sont les incommodités dont souffrent Jean de Léry et ses compagnons à leur arrivée au fort de Coligny ?

2. Pour quelles raisons les nouveaux arrivants se plient-ils aux ordres de Villegagnon ?

3. Quelles sont les critiques que Jean de Léry adresse à Villegagnon ?

4. Qu'est-ce qui provoque la rupture entre Jean de Léry, ses compagnons et Villegagnon ?

5. Pourquoi l'auteur et ses amis partent-ils vivre parmi les Sauvages ?

***plaidoyer* : défense d'une idée, ou d'une ou plusieurs personnes.**

***caricature* : description comique qui accentue les défauts et les ridicules. S'emploie aussi en dessin.**

ÉTUDIER LE VOCABULAIRE

6. *« Réformation »* (ligne 22) ; *« réformer »* (ligne 65) ; *« réforme »* : donnez la formation et le sens de ces trois termes.

7. Dans quel sens est employé l'adjectif *« bon »* (ligne 67) ? Quel est l'effet produit ?

8. Lignes 67 à 89 : relevez deux autres exemples similaires.

ÉTUDIER LE DISCOURS : PLAIDOYER* ET CARICATURE*

9. Récapitulez les motifs de plainte de Jean de Léry et de ses compagnons envers Villegagnon.

10. À combien de reprises le narrateur* affirme-t-il que Villegagnon n'avait aucune raison d'être mécontent de lui et de ses compagnons ? Citez le texte.

11. Comment expliquez-vous cette insistance ?

12. Lignes 67 à 89 : relevez les éléments qui montrent que le narrateur fait une caricature de Villegagnon.

13. En quoi cette caricature est-elle un élément du plaidoyer de l'auteur contre Villegagnon ?

À VOS PLUMES !

14. Résumez ce chapitre en cinq lignes en faisant nettement apparaître les étapes successives et les raisons qui provoquent l'arrivée des Français et leur départ.

15. Écrivez, vous aussi, un portrait caricatural d'une dizaine de lignes. Choisissez une personne de votre entourage et moquez-vous, par antiphrase* et avec ironie*, de ses habits ou de son allure.

narrateur : **celui qui raconte l'histoire.**

antiphrase : **emploi de termes ou expressions, par ironie notamment, pour signifier exactement le contraire.**

ironie : **moquerie qui consiste à dire le contraire de ce que l'on pense vraiment.**

La nature, la force, la stature[1], la nudité, la parure et l'ornement du corps des Sauvages brésiliens, hommes et femmes d'Amérique, au milieu desquels j'ai vécu environ un an

[…] Ainsi, pour commencer par le plus important et procéder par ordre, les Sauvages d'Amérique vivant au Brésil, appelés *Toüoupinambaoults*, et parmi lesquels je suis resté et ai vécu dans la plus grande familiarité environ un an, ne sont ni plus grands, gros ou petits de taille que nous autres Européens et, comparé au nôtre, leur corps n'est ni monstrueux ni prodigieux. Au vrai ils sont plus forts, plus robustes et replets[2], mieux constitués et moins sujets aux maladies que nous. Même, on ne rencontre parmi eux que peu de boiteux ou de borgnes, de mal

notes

1. *stature* : taille.

2. *replets* : bien en chair, dodus.

formés ou d'infirmes. Du reste, bien qu'un grand nombre atteignent cent ou cent vingt ans – ils savent en effet retenir et compter leurs années grâce aux lunes –, rares sont ceux qui dans leur vieillesse aient les cheveux blancs ou gris. Ceci témoigne assurément de la pureté de l'air et de la douceur des températures de leur pays où, je l'ai dit ailleurs, sans connaître gels ni grands froids, les bois, les prairies et les champs sont toujours verdoyants. Mais c'est aussi le signe, car tous véritablement s'abreuvent à la fontaine de Jouvence[1], de leur peu d'intérêt et de souci pour les choses de ce monde. En effet, je le développerai par la suite, en aucune manière ils ne puisent à ces sources fangeuses, pestilentielles[2] même, d'où naissent tant de ruisseaux qui nous rongent les os, sucent la moelle, affaiblissent le corps et dévorent l'esprit, bref nous empoisonnent et nous font mourir ici-bas avant notre jour. La défiance, l'avarice qui en procède, les procès et disputes, l'envie et l'ambition, rien de tout cela ne les torture, encore moins ne les possède[3] ou passionne.

Quant à leur teint naturel, vivant dans une région chaude, ils ne sont pas noirs, mais seulement basanés, comme vous diriez des Espagnols ou des Provençaux.

Du reste, aussi étrange et difficile à croire que cela paraisse à ceux qui ne l'ont vu, hommes, femmes et enfants, non seulement ne cachent aucune partie de leur corps, mais n'en ressentent ni honte ni embarras, et ont l'habitude d'aller et venir aussi nus qu'au sortir du ventre de leurs mères. Néanmoins il s'en faut de beaucoup, comme le pensent certains et d'autres veulent le faire croire, que leur corps soit

notes

1. fontaine de Jouvence : selon le mythe, elle ramène à la jeunesse tout vieillard qui s'y plonge.

2. fangeuses, pestilentielles : boueuses ; répandant une odeur infecte. Les deux termes sont employés au sens figuré d'abjectes, ignobles.

3. ne les possède : ne les domine.

entièrement couvert de poils. Au contraire, alors que par nature ils ne sont pas plus poilus que nous, dès que leurs poils commencent à apparaître et à pousser où que ce soit, même sur le menton, les paupières ou les sourcils – ce qui leur donne un regard louche, bigle[1], égaré et farouche –, ils les arrachent avec les ongles, ou, depuis l'arrivée des Chrétiens, avec de petites pinces, ce que font aussi les habitants de l'île de Cumana au Pérou d'après certains récits. J'excepte seulement les cheveux pour nos *Toüoupinambaoults*. Dès leur plus jeune âge, les hommes sont tondus de près sur tout le devant du crâne, tels des moines tonsurés, et, à la manière de nos aïeux et de ceux qui portent perruque, derrière on leur rase le cou. J'ajouterai, pour si possible ne rien omettre de leurs usages à cet égard, que dans ce pays poussent certaines herbes larges d'environ deux doigts, légèrement recourbées en forme de tube sur toute leur longueur, dont vous diriez la membrane entourant l'épi de ce gros mil appelé en France blé sarrasin. Et j'ai vu des vieillards, mais pas tous, ni même les jeunes gens et encore moins les enfants, prendre deux feuilles de ces herbes, les poser et les lier avec du fil de coton autour de leur membre viril, de même qu'ils enveloppaient aussi parfois celui-ci avec les mouchoirs et autres petits linges que nous leur donnions. Ainsi, à première vue, il leur reste encore, semble-t-il, quelque étincelle de pudeur naturelle, si toutefois c'est pour cette raison qu'ils font cela. Car bien que je ne me sois pas renseigné davantage, je crois plutôt que c'est pour cacher quelque infirmité due à la vieillesse.

En outre, certaine coutume veut que dès leur enfance les garçons aient la lèvre inférieure percée. Ils y placent généra-

notes

1. bigle : qui louche.

Famille toüoupinambaoult à l'ananas, gravure parue dans *La Cosmographie universelle* d'André Thevet, Paris, 1575.

lement un os soigneusement poli, blanc comme l'ivoire,
70 presque façonné comme l'une de ces petites quilles avec lesquelles on joue ici sur la table avec la pirouette[1]. Le bout pointu dépassant d'un pouce ou de deux doigts[2] de la lèvre, il est retenu par un arrêt entre les gencives et la lèvre, le tout pouvant être retiré et remis quand bon leur semble.
75 Cependant ils ne portent ce poinçon d'os blanc que pendant leur adolescence. Une fois adultes et appelés *conomioüassou*, c'est-à-dire gros ou grand garçon, ils mettent à la place et enchâssent dans l'orifice de leurs lèvres une pierre verte, sorte de fausse émeraude, également maintenue à l'intérieur
80 par un arrêt et dépassant au dehors, deux fois plus ronde, large et épaisse qu'un teston[3]. Certains même en portent d'aussi longues et rondes qu'un doigt, dont j'avais rapporté une en France. Parfois, ces pierres ôtées, nos *Toüoupinambaoults* s'amusent à passer leur langue dans cette
85 fente, et ceux qui les regardent ont l'impression qu'ils ont deux bouches. Je vous laisse imaginer s'ils sont beaux à voir ainsi et s'ils sont ou non défigurés. J'ai également vu des hommes qui ne se contentaient pas de porter de ces pierres vertes à leurs lèvres, et en avaient aussi aux deux joues, per-
90 cées à cet effet.

Quant au nez, si dès la naissance des enfants les sages femmes d'ici tirent dessus pour qu'il soit plus beau et plus grand, au contraire nos Américains font résider la beauté de leurs enfants dans un nez très camus[4]. Ainsi, comme les
95 barbets[5] et les petits chiens en France, aussitôt sortis du

notes

1. *pirouette :* jouet d'enfant ressemblant à une toupie.

2. *d'un pouce ou de deux doigts :* mesures de longueur. Le pouce est la douzième partie du pied, valant lui-même trente centimètres environ, et le doigt est une petite unité approximative.

3. *teston :* ancienne pièce de monnaie.

4. *camus :* écrasé.

5. *barbets :* espèce d'épagneuls.

ventre de la mère, les enfants ont le nez écrasé et enfoncé avec le pouce. Mais quelqu'un raconte qu'il y a au Pérou une région où les Indiens ont le nez si outrageusement grand qu'ils y enfilent des émeraudes, des turquoises et 100 diverses pierres blanches et rouges à fil d'or.

Par ailleurs, nos Brésiliens peignent souvent leur corps de couleurs bigarrées[1]. Surtout, ils ont coutume de noircir leurs cuisses et leurs jambes avec le jus d'un fruit appelé *genipat*, et vous croiriez, à les voir ainsi au loin, qu'ils ont enfilé des 105 chausses de prêtre. Cette teinture noire issue de ce fruit imprègne si bien leur chair qu'ils ont beau se mettre dans l'eau et se laver tant qu'ils veulent, ils ne peuvent l'effacer durant dix ou douze jours.

Ils portent aussi des croissants de plus d'un demi-pied de 110 longueur, faits d'os très lisses, aussi blancs que l'albâtre[2], et qu'ils nomment *yaci* comme la lune. Selon leur envie, ils les pendent à leur cou avec un petit cordon en fil de coton et les laissent danser librement sur leur poitrine.

De même, après avoir poli avec patience sur un morceau 115 de grès une infinité de petits fragments d'un gros coquillage marin appelé *vignol*, ils les arrondissent et les rendent aussi purs, ronds et fins qu'un denier tournois[3]. Percés au milieu et enfilés sur un fil de coton, ils en font des colliers qu'ils appellent *boüre*, et quand bon leur semble, ils se les entor-120 tillent autour du cou, comme les chaînes d'or chez nous. C'est à mon avis ce que certains appellent porcelaine, dont nous voyons beaucoup de femmes porter des ceintures ici. À mon retour en France, j'en rapportai plus de trois brasses[4],

notes

1. ***bigarrées :*** variées.
2. ***albâtre :*** marbre réputé pour sa blancheur.
3. ***denier tournois :*** ancienne pièce de monnaie.
4. ***brasse :*** mesure de longueur valant environ 1,60 m.

et de la plus belle. Les Sauvages confectionnent aussi ces
125 colliers appelés *boüre* avec une espèce de bois noir, presque
aussi lourd et brillant que du jayet, et idéal pour cela.

Par ailleurs, nos Américains possèdent beaucoup de poules d'espèces communes, que les Portugais leur ont procurées. Ils plument souvent les blanches, et à l'aide d'outils
130 en fer depuis qu'ils en ont et auparavant de morceaux tranchants, ils hachent plus menu que chair à pâté le duvet et les petites plumes. Après les avoir fait bouillir et teint en rouge avec du brésil[1], ils s'en badigeonnent à l'aide d'une sorte de gomme[2] propre à cela. Buste, bras et jambes ainsi recouverts,
135 emplumés et chamarrés[3], ils semblent avoir du duvet, comme les pigeons et les oiseaux récemment éclos. [...]

[Les *Toüoupinambaoults* attachent aussi des plumes d'oiseaux rouges à leur front, et portent de longues boucles d'oreilles d'os blancs.]

140 Mais si nos Brésiliens partent en guerre, ou, comme je le dirai ailleurs, exécutent solennellement un prisonnier pour le manger, afin d'être mieux parés et d'en imposer davantage, en plus de tout ce que je viens de mentionner, ils revêtent des habits, des coiffes, des bracelets et diverses parures de
145 plumes vertes, rouges, bleues et d'une multitude de couleurs, simples, naturelles et d'une admirable beauté. Ainsi, après qu'ils les ont choisies, mêlées, et attachées ensemble avec de minuscules bouts de bois de roseau et du fil de coton, si parfaitement qu'aucun plumassier[4] de France ne saurait les

notes

1. *brésil* : le bois de brésil est utilisé pour la confection de teinture rouge.

2. *gomme* : substance collante issue de certains arbres.

3. *chamarrés* : coloriés.

4. *plumassier* : personne qui confectionne des garnitures de plumes.

150 manipuler ni les arranger plus adroitement, vous diriez que ces habits ainsi confectionnés sont de soyeux velours. Ils fabriquent avec le même art les ornements de leurs épées et massues de bois, merveilleuses à voir ainsi décorées et embellies de ces plumes si appropriées et si bien employées
155 à cet usage. [...]

Voilà en somme quant à la nature, à l'accoutrement et aux parures ordinaires de nos *Toüoupinambaoults* dans leur pays. Il est vrai qu'en plus de tout cela, ayant apporté dans nos bateaux nombre de frises[1] rouges, vertes, jaunes, et
160 d'autres coloris, nous faisions faire des vêtements et des chausses bigarrées que nous leur échangions contre des vivres, des guenons, des perroquets, du bois de brésil, du coton, du poivre long, et divers produits de leur pays dont les marins chargent ordinairement leurs navires. Mais par-
165 fois, tandis que les uns, tout nus, enfilaient de larges chausses à la matelote[2], les autres, nu-pieds, revêtaient des saies[3] ne leur descendant que jusqu'aux fesses. Après s'être un peu promenés et observés dans cet accoutrement, qui n'était pas sans nous faire rire tout notre saoul, ils se dépouillaient de
170 ces habits et les laissaient dans leurs maisons jusqu'à ce que l'envie les prenne de les remettre. Ils agissaient de même avec les chapeaux et les chemises que nous leur donnions. [...]

Toutefois, avant de clore[4] ce chapitre, il me faut répondre ici à ceux qui ont écrit et qui pensent que la fréquentation
175 de ces Sauvages tout nus, en particulier des femmes, incite à la lubricité et à la paillardise[5]. Sur ce sujet, je dirai en un mot

notes

1. *frises* : étoffes de laine à poil frisé.

2. *chausses à la matelote* : vêtements masculins allant de la ceinture aux genoux ou aux pieds. *À la matelote* : elles sont évasées et flottantes.

3. *saies* : courts manteaux d'homme.

4. *clore* : terminer.

5. *à la lubricité et à la paillardise* : à la débauche.

qu'en vérité, il n'y a apparemment que trop de raisons d'estimer qu'en plus de la malhonnêteté de voir ces femmes nues, leur nudité sert aussi d'appât ordinaire, semble-t-il, à la
180 convoitise. Mais pour en parler d'après ce qui s'est communément constaté alors, la grossière[1] nudité de ces femmes est beaucoup moins attrayante qu'on ne croirait. Ainsi je soutiens que les atours[2], les fards et fausses perruques, les cheveux bouclés et grandes collerettes fraisées[3], les vertugadins[4],
185 robes et sur-robes, et les innombrables autres bagatelles avec lesquelles les femmes et les filles d'ici se déguisent et dont elles n'ont jamais assez, sont sans comparaison causes de plus de maux que la nudité ordinaire des femmes sauvages, qui n'ont cependant rien à envier aux autres quant à la beauté
190 naturelle. Si l'honnêteté me permettait d'en dire davantage, me faisant fort de réfuter toutes les objections qu'on pourrait faire, je donnerais des preuves si évidentes que personne n'oserait les nier. Mais sans continuer plus avant sur ce sujet, je me rapporte au peu que j'en ai dit à ceux qui ont fait le
195 voyage au Brésil, et qui comme moi ont vu l'une et l'autre sorte de femmes. [...]

Mais si j'ai parlé ainsi de ces Sauvages, c'est pour montrer qu'alors que nous les condamnons si sévèrement de ce que sans nulle honte ils se promènent tout nus, nous, avec nos
200 excès opposés, nos bombances[5], parures superflues et habits en surnombre, ne sommes pas plus dignes de louanges. Et pour en finir sur ce point, plût à Dieu que chacun de nous, davantage par honnêteté et nécessité que par gloire et goût pour les biens de ce monde, s'habillât avec modestie.

notes

1. *grossière :* au sens de naturelle et commune.

2. *atours :* parures des femmes.

3. *collerettes fraisées :* cols plissés que portaient les hommes et les femmes au XVIe siècle.

4. *vertugadins :* cercles qui faisaient bouffer les jupes autour des hanches.

5. *bombances :* luxe insolent, immodéré.

Au fil du texte

Questions sur le chapitre 8 (pages 40 à 48)

Avez-vous bien lu ?

1. Donnez un titre à chaque paragraphe de ce chapitre.

2. Quel est l'ordre logique suivi par l'auteur dans son portrait des Sauvages ?

Étudier la grammaire

3. Nommez la forme qui modifie l'adjectif qualificatif « *grands* », ligne 5.

4. Lignes 1 à 9 : relevez d'autres formes du même type.

5. Lignes 67 à 90 : relevez les termes de comparaison.

6. Pourquoi Jean de Léry recourt-il à ces formes ?

procédé de style : **forme d'expression employée pour produire un effet particulier. Exemples : répétition, comparaison, métaphore…**

Étudier l'écriture : l'exposé moraliste

7. Lignes 23 à 26, « *qui nous rongent* […] *avant notre jour* » : donnez la nature et la fonction de cette fin de phrase. Quel est le procédé de style* employé dans sa construction ?

8. Le même procédé est employé dans la phrase suivante (lignes 26 à 28). Relevez-le. Quel est l'effet produit ?

9. Lignes 173 à 196 : retrouvez ce procédé. À quoi s'applique-t-il ?

10. Dans ces mêmes lignes, citez les termes et expressions qui montrent que Jean de Léry s'implique et défend avec force la nudité sauvage.

11. Lignes 173 à 204 : quels sont les termes et expressions traduisant un jugement moral ?

ÉTUDIER UN THÈME : LA NATURE PERDUE

12. Relevez les éléments positifs dans la description du corps des Sauvages (lignes 1 à 14).

13. De quoi témoigne la jeunesse des Sauvages ?

14. Que révèle l'usage que font les Indiens des vêtements européens ?

narrateur : celui qui raconte l'histoire.

15. Lignes 127 à 155 : citez les termes et expressions traduisant l'admiration du narrateur* devant l'habileté des Sauvages et la beauté de leurs parures.

16. En vous aidant des réponses aux questions précédentes, dites quelle image Léry entend donner des Sauvages. Selon vous, pourquoi ?

À VOS PLUMES !

17. En dix lignes, décrivez un animal exotique ou imaginaire, en le comparant, à l'aide des différentes formes du comparatif, à des animaux connus.

18. Pour décrire une fleur magnifique et montrer en même temps votre admiration devant sa beauté, rédigez un court texte où vous emploierez le procédé de l'accumulation d'adjectifs qualificatifs, de verbes et de noms.

LIRE L'IMAGE

19. Sur l'image de la page 43, comment le corps du Sauvage nous apparaît-il ?

20. Quelle image l'artiste entend-il donner des Sauvages ?

Sur les grosses racines et le gros mil dont les Sauvages font de la farine qu'ils mangent à la place du pain, et sur leur boisson qu'ils appellent *caou-in*

Puisque nous avons appris au chapitre précédent la manière dont nos Sauvages sont parés et habillés, il me semble, pour procéder par ordre, qu'il ne sera pas mal venu de présenter maintenant d'un seul fil leur nourri-
5 ture commune et ordinaire. En premier lieu, il faut noter à ce sujet que, bien qu'ils n'aient et donc ne sèment ni ne plantent de blé ou de vigne dans leur pays, néanmoins, comme je l'ai constaté et moi-même expérimenté, on ne manque pas pour autant d'y être bien traité
10 et d'y faire bonne chair, sans pain ni vin.

Dans leur région, nos Américains ont deux espèces de racines qu'ils nomment *aypi* et *maniot*[1], qui en trois ou

notes

1. aypi *et* maniot : ces deux termes désignent le manioc.

quatre mois deviennent aussi grosses que la cuisse d'un homme, et plus ou moins longues d'un pied et demi. Une
15 fois arrachées, les femmes, car les hommes ne s'en occupent pas, les font sécher sur le feu du *boucan*[1], comme je le décrirai ailleurs, ou bien parfois les prennent toutes vertes et, à force de les râper sur certaines petites pierres pointues, fichées et disposées sur un morceau de bois plat, comme
20 nous raclons et râpons les fromages et noix muscades, elles les réduisent en une farine blanche comme neige. Cette farine crue, comme le suc blanc qui en sort et dont je parlerai plus tard, a la même odeur que l'amidon de pur froment longtemps trempé dans l'eau et encore frais et liquide,
25 au point que depuis mon retour ici, m'étant trouvé dans un lieu où l'on en faisait, l'odeur me rappela celle que l'on sent d'ordinaire dans les maisons des Sauvages quand on y élabore de la farine de racine.

Ensuite, pour la préparer, ces femmes brésiliennes saisis-
30 sent de grandes et larges poêles en terre contenant chacune plus d'un boisseau[2], poêles qu'elles confectionnent elles-mêmes très proprement à cet effet, et qu'elles mettent sur le feu avec quantité de cette farine dedans. Pendant la cuisson, elles ne cessent de remuer avec des courges[3] coupées en
35 deux, dont elles se servent en guise d'écuelles[4]. Cuite de cette façon, la farine prend la forme de petits grêlons ou de dragées d'apothicaire[5].

Les femmes confectionnent deux sortes de farine. L'une très cuite et dure, que les Sauvages appellent *ouy-entan*, qu'ils
40 emportent lorsqu'ils partent en guerre parce qu'elle se

notes

1. boucan : gril de bois.

2. boisseau : ancienne mesure de capacité d'environ un décalitre.

3. courges : courgettes, légumes verts.

4. écuelles : assiettes larges et creuses sans rebord.

5. dragées d'apothicaire : médicaments en forme de dragées.

conserve mieux. L'autre, moins cuite et plus tendre, qu'ils nomment *ouy-pou*, meilleure que la première, car lorsqu'elle est fraîche, vous diriez en la mettant en bouche et en la mangeant que c'est du pain mollet[1] blanc et tout chaud. En
45 cuisant, l'une et l'autre farine perdent ce premier goût dont j'ai parlé pour un plus doux et plus agréable.

En outre, bien que ces farines, notamment quand elles sont fraîches, aient très bon goût, soient très nourrissantes et de digestion facile, néanmoins, j'en ai fait l'expérience, elles
50 ne sont pas propres à faire du pain. Certes on en fait bien de la pâte, qui gonfle comme celle du blé avec le levain et est aussi belle et blanche que la fleur du froment. Mais en cuisant, la croûte et tout le dessus sèche et brûle, et quand il s'agit de couper ou rompre le pain, on s'aperçoit que
55 l'intérieur est tout sec et retourné à l'état de farine. [...]

Vous venez de l'entendre, les hommes ne se mêlent pas de fabriquer la farine et en laissent toute la charge à leurs femmes. Pareillement, et ils sont même beaucoup plus scrupuleux encore à cet égard, ils ne s'occupent pas de confec-
60 tionner leur boisson. Ainsi, non seulement ces racines d'*aypi* et de *maniot*, accommodées comme je viens de le dire, sont leur principale nourriture, mais voici la manière dont les femmes s'en servent pour élaborer leur boisson ordinaire.

Après les avoir découpées aussi finement qu'ici les raves[2]
65 à mettre en pot, elles font bouillir les morceaux dans de grands récipients en terre. Quand elles les voient tendres et ramollies, elles les ôtent du feu et les laissent un peu refroi-

notes

1. *mollet* : pain d'excellente qualité, blanc et croustillant.

2. *raves* : nom de plusieurs plantes potagères cultivées pour leurs racines comestibles, telles la betterave ou le céleri-rave.

dir. Puis plusieurs d'entre elles, accroupies autour de ces grands récipients, saisissent ces rondelles de racines ainsi
70 amollies, et après les avoir bien mâchées et tortillées[1] dans leur bouche sans les avaler, elles reprennent chaque morceau l'un après l'autre avec la main, les remettent dans d'autres récipients en terre tout prêts sur le feu, et les font bouillir à nouveau. Elles ne cessent de remuer cette mixture avec un
75 bâton jusqu'à ce qu'elle leur paraisse assez cuite, puis la retirent une seconde fois du feu, et sans la filtrer, la versent entièrement dans d'autres récipients en terre plus grands, contenant chacun une fillette de Bourgogne[2] environ. Après que le breuvage a un peu reposé et fermenté, elles couvrent
80 les récipients et l'y laissent jusqu'à ce que l'on souhaite le boire. [...] Les Sauvages appellent cette boisson *caou-in*[3] : elle est trouble et épaisse comme la lie[4], et a presque le goût de lait aigre[5]. On en trouve de la rouge et de la blanche, comme le vin chez nous. [...]

85 Enfin je ne doute pas que certains, entendant ce que je viens de dire sur les racines ou le mil mâchés et tortillés dans la bouche des femmes sauvages quand elles fabriquent leur *caou-in*, n'aient eu mal au cœur et n'aient craché. Pour vaincre totalement leur dégoût, je les prie de se souvenir de
90 la manière dont on fait le vin ici. Que l'on considère seulement que là où l'on trouve du bon vin, au temps des vendanges les vignerons entrent dans les cuves et de leurs beaux pieds, parfois avec leurs souliers, foulent le raisin, et je

notes

1. tortillées : remuées en les tordant.

2. fillette de Bourgogne : unité de mesure.

3. caou-in : c'est la chicha de maïs, boisson intermédiaire entre la bière et la soupe.

4. lie : dépôt au fond des bouteilles contenant des boissons fermentées, vin, cidre ou bière, par exemple.

5. aigre : devenu acide en se corrompant.

les ai même vu patauger ainsi sur les pressoirs. On trouvera
95 beaucoup de choses identiques, n'ayant pas meilleure grâce
que cette manière de mâchouiller, propre aux femmes
américaines. À ceux qui allèguent à ce sujet : « Oui, mais le
vin, en cuvant et fermentant, rejette toute cette saleté », je
réponds que notre *caou-in* se purge aussi, et que sur ce point
100 il n'y a même aucune comparaison de l'un à l'autre.

Les animaux, les venaisons[1] et les gros lézards, serpents et autres bêtes monstrueuses d'Amérique

Au début de ce chapitre, j'avertirai en un mot qu'à
l'égard des animaux à quatre pattes, en règle générale
et sans exception, aucun sur cette terre de Brésil d'Amérique
n'est en tous points semblable aux nôtres. Mais aussi nos
105 *Toüoupinambaoults* n'en élèvent que très peu de domestiques.
Ainsi, pour décrire les bêtes sauvages de leur pays, qu'ils
nomment *soó*, je commencerai par celles qui sont
bonnes à manger. La première et la plus commune s'appelle
tapiroussou. Elle a le poil rougeâtre et assez long, et presque
110 la taille, la grosseur et la forme d'une vache. Mais sans

notes

1. *venaisons* : chairs de grand gibier, c'est-à-dire des gros animaux chassés pour être mangés.

cornes et le cou plus court, les oreilles plus longues et pendantes, les pattes plus sèches et plus fines, le sabot non fendu mais de la forme de celui d'un âne, on peut dire qu'elle relève à la fois de l'un et l'autre, est à moitié vache et à
115 moitié âne. Néanmoins elle diffère encore entièrement de ces deux animaux par sa queue très courte, et notez à ce sujet que nombre de bêtes d'Amérique n'en ont pas du tout, et par ses dents, beaucoup plus tranchantes et pointues. Malgré cela, n'opposant d'autre résistance que la fuite, elle
120 n'est en rien dangereuse. Les Sauvages la tuent, comme beaucoup d'autres, avec des flèches, ou la capturent avec des chausse-trappes[1] et divers pièges qu'ils élaborent fort ingénieusement.

Par ailleurs, cet animal est très estimé des Sauvages pour
125 sa peau. Ils l'écorchent, découpent en rond tout le cuir du dos lorsqu'il est bien sec, et en font des rondaches[2] grandes comme le fond d'un tonneau de taille moyenne, qui leur servent à se protéger des flèches ennemies quand ils vont en guerre. En effet, ainsi séchée et arrangée, cette peau est si
130 dure que je ne crois pas qu'une flèche, aussi violemment lancée fût-elle, pût la transpercer. [...]

Quant à la chair de ce *tapiroussou*, elle a presque le même goût que celle du bœuf. Mais quant à la cuisson et à la préparation, nos Sauvages la font ordinairement *boucaner*, à
135 leur mode. Parce que j'en ai parlé et devrai encore employer souvent ce terme *boucaner*, afin de ne pas tenir plus longtemps le lecteur en haleine, d'autant que l'occasion se présente ici très à propos, je veux exposer de quoi il s'agit.

notes

1. chausse-trappes : trous recouverts, cachant un piège.

2. rondaches : boucliers ronds.

Ainsi nos Américains plantent-ils assez profondément
140 dans le sol quatre fourches de bois, grosses comme le bras, espacées en carré d'environ trois pieds, et atteignant chacune deux pieds et demi de haut. Puis ils posent dessus des bâtons en travers, à un pouce ou deux doigts l'un de l'autre, et fabriquent ainsi une grande grille en bois, qu'ils nomment
145 dans leur langue *boucan*. Ils en ont plusieurs dans leur maison, et ceux qui ont de la viande la posent dessus. Avec du bois sec dégageant peu de fumée, dessous ils allument un petit feu doux, et en retournant les morceaux tous les demi quarts d'heure, ils les laissent cuire ainsi autant de temps
150 qu'ils veulent. Du reste, ne salant pas, comme nous, leurs aliments pour les conserver, ils n'ont d'autre moyen de les garder que les cuire. [...]

[Les Sauvages mangent aussi des *jacarés*, crocodiles inoffensifs avec lesquels les enfants aiment s'amuser. Les lézards, ou *tououus*,
155 ne sont pas non plus dangereux, et leur chair, des plus savoureuses, a particulièrement plu au narrateur, au contraire de celle des serpents, trop fade selon lui. Mais s'il n'y a rien à craindre de ces animaux, il y a dans les bois une espèce de gros lézards qu'il vaut mieux éviter. Pourtant Jean de Léry en a rencontré un.]

160 Un jour, deux autres Français et moi commîmes l'erreur de nous aventurer pour visiter le pays sans avoir, comme le veut l'usage, de Sauvage pour guide. Nous étant égarés au milieu des bois, alors que nous allions le long d'une profonde vallée, nous entendîmes le bruit et le trac[1] d'une bête
165 qui venait vers nous. Pensant que c'était quelque Sauvage, nous ne nous en inquiétâmes pas et continuâmes notre

notes

1. le trac : l'allure.

chemin sans y prêter plus d'attention. Mais soudain, à droite, à environ trente pas de nous, nous aperçûmes sur le coteau un lézard, le corps beaucoup plus gros que celui d'un
170 homme, long de six à sept pieds, couvert d'écailles blanchâtres, âpres et raboteuses comme des coquilles d'huîtres. L'une des pattes avant levée, la tête dressée et les yeux étincelants, il s'arrêta tout net pour nous regarder. Ni l'un ni l'autre n'avions alors nos arquebuses[1] ni nos pistolets,
175 mais seulement nos épées et, à la manière des Sauvages, l'arc et les flèches à la main, armes qui ne pouvaient pas beaucoup nous servir contre ce furieux animal si bien défendu. Néanmoins nous redoutions que si nous nous enfuyions, il n'allât plus vite que nous et, nous ayant rattrapés, ne nous
180 engloutît et dévorât. Effrayés à l'extrême, nous nous regardâmes les uns les autres, et restâmes totalement immobiles sur place. Cet épouvantable et monstrueux lézard, la gueule ouverte en raison de la forte chaleur, car il était environ midi et le soleil tapait, soufflait si fort que nous l'entendions très
185 aisément. Il nous contempla près d'un quart d'heure, puis soudain se retourna, et, produisant plus de bruit et brisant plus de feuilles et de branches sur son passage qu'un cerf courant dans une forêt, il s'enfuit vers les hauteurs. Quant à nous, ayant éprouvé l'une des plus belles peurs de notre vie,
190 nous n'avions garde de courir après, et louant Dieu de nous avoir sauvés de ce danger, nous poursuivîmes notre route. J'ai pensé depuis, selon l'opinion qui veut que le lézard aime contempler le visage de l'homme, que celui-là avait goûté un aussi grand plaisir à nous observer que nous avions eu de
195 peur à le regarder. [...]

notes

1. *arquebuses* : anciennes armes à feu.

Au fil du texte

Questions sur les chapitres 9 et 10 (pages 51 à 58)

AVEZ-VOUS BIEN LU ?

Chapitre 9 (pages 51 à 55)

1. Déterminez les différentes parties du chapitre 9 et donnez-leur un titre.

2. Cochez la case correcte.

	Vrai	Faux
– Les hommes et les femmes sauvages confectionnent leur farine et leur boisson à partir de racines.	☐	☐
– Il existe deux espèces de racines.	☐	☐
– On confectionne deux sortes de farine.	☐	☐
– Ces farines sont idéales pour faire du pain.	☐	☐
– L'auteur déplore que pour préparer le *caou-in*, les femmes mâchent, puis recrachent les racines.	☐	☐

narrateur : **celui qui raconte l'histoire.**

3. Quelles sont les étapes de la fabrication de la farine ?

4. Quelles sont celles de la confection du *caou-in* ?

Chapitre 10 (pages 55 à 58)

5. Quel est l'animal comestible le plus répandu au Brésil ? À quels animaux connus du lecteur l'auteur le compare-t-il ?

6. Quel autre usage les Sauvages font-ils de cet animal ?

7. Quels sont les moyens grâce auxquels les *Toüoupinambaoults* chassent le gibier ?

8. Comment et pourquoi les Sauvages cuisent-ils la chair des animaux capturés ?

9. Lignes 160 à 195 : que raconte le narrateur* ?

ÉTUDIER LE VOCABULAIRE

10. Employez le nom *« chair »* (ligne 132) dans une phrase où il aura le même sens. Donnez ses homonymes* et employez chacun d'eux dans une phrase de votre composition.

11. Donnez la formation de l'adjectif *« blanchâtres »* (ligne 171). Trouvez d'autres adjectifs formés de la même manière. Qu'y a-t-il de commun dans le sens de chacun d'eux ?

homonymes : **mots se prononçant de manière identique.**

procédé de style : **forme d'expression employée pour produire un effet particulier. Exemples : répétition, comparaison, métaphore…**

ÉTUDIER LE DISCOURS : LE RÉCIT D'UNE RENCONTRE UNIQUE

12. Lignes 160 à 195 : relevez les temps employés et justifiez leur emploi.

13. Dans ces mêmes lignes, relevez les indications de temps et de lieu.

14. En quoi ces lignes diffèrent-elles des descriptions qui les précèdent ?

ÉTUDIER L'ÉCRITURE DU SUSPENSE

15. Relevez les éléments qui, dès le début du récit de la rencontre avec le lézard, suscitent l'attente inquiète du lecteur.

16. Citez les termes et expressions qui dessinent l'image d'un terrible lézard.

17. Quel est le procédé de style* employé par l'auteur pour rendre sa description plus effrayante ?

18. Comment le narrateur retarde-t-il l'issue du récit pour ménager le suspense ?

À VOS PLUMES !

19. Racontez vous aussi la plus belle peur de votre vie en tâchant de tenir en haleine le plus longtemps possible le lecteur sur l'issue de votre aventure. N'oubliez pas d'employer les temps du récit adéquats et les indications de temps et de lieu nécessaires à l'organisation de votre récit (deux pages environ).

20. Imaginez une suite différente, mais cohérente, au récit de Léry : le lézard ne s'enfuit pas, mais attaque les hommes. Faites attention à respecter les temps employés par le narrateur et les indications qu'il a déjà fournies (deux pages environ).

narrateur : **celui qui raconte l'histoire.**

Les poissons les plus répandus chez les Sauvages d'Amérique, et leur manière de les pêcher

[...] Quant à la manière de pêcher des Sauvages, j'ai dit qu'ils prennent les mulets[1] à coup de flèches, ce qui est vrai aussi pour toutes les autres espèces de poissons qu'ils peuvent trouver dans l'eau. Il faut ajouter que les hommes comme les femmes d'Amérique savent tous nager, tels des chiens barbets, et vont chercher leur gibier et leur poisson au milieu des eaux. Les petits enfants aussi, dès qu'ils commencent à marcher, vont dans les rivières et sur le bord de mer, et grenouillent déjà dans l'eau comme de petits canards. Pour en donner un bref exemple, un dimanche matin, nous promenant sur une plate-forme de notre fort, nous vîmes une barque en écorce verser en mer. Je dirai ailleurs la manière dont elle était fabriquée, mais à l'intérieur se trouvaient plus de

notes

1. mulets : poissons des mers tempérées.

trente Sauvages, petits et grands, qui venaient nous voir. Aussitôt, voulant les secourir, nous dirigeâmes au plus vite notre bateau vers eux. Mais nous les trouvâmes tous nageant et riant dans l'eau. L'un d'entre eux nous demanda : « Et vous autres *Mairs* (c'est ainsi qu'ils appellent les Français), où allez-vous donc si vite ? », et nous de répondre : « Nous venons vous sauver et vous sortir de l'eau. » « Vraiment, dit-il, nous vous en remercions, mais croyez-vous vraiment que, parce que nous sommes tombés dans la mer, nous risquons de nous noyer ? Sans poser pied ni toucher terre, nous resterions plutôt huit jours à la surface comme vous nous voyez là. Nous redoutons davantage qu'un grand poisson nous tire par le fond que de nous enfoncer nous-mêmes. » Et les autres qui nageaient tous vraiment avec autant de facilité que des poissons, avertis par leur compagnon du motif de notre venue si soudaine, s'en moquèrent et se mirent à rire si fort que nous les voyions et entendions souffler et ronfler sur l'eau, tels un banc de marsouins[1]. En effet, alors que nous étions encore à plus d'un quart de lieue[2] de notre fort, seuls quatre ou cinq, plus encore pour bavarder avec nous que pour redouter quoi que ce soit, voulurent monter dans notre bateau. Quand parfois les autres nous dépassaient, je remarquais qu'ils nageaient aussi droit et avec autant de grâce qu'ils le souhaitaient, mais se reposaient également sur l'eau quand bon leur semblait. Quant à leur barque d'écorce, aux lits de coton, nourritures et autres objets qui étaient à l'intérieur et qu'ils nous apportaient, tout étant submergé, ils ne s'en inquiétaient pas plus que vous ne feriez d'avoir perdu une pomme. « En effet, demandaient-ils, n'y en a-t-il pas d'autres dans le pays ? » [...]

notes

1. marsouins : poissons plus petits que le dauphin.

2. lieue : une lieue équivaut à environ 4 km.

Au fil du texte

Questions sur le chapitre 12 (pages 62-63)

Avez-vous bien lu ?

1. Quelle est l'information essentielle de ce chapitre ?

2. Dégagez les différentes parties du chapitre et donnez un titre à chacune.

3. Quels sont les instruments de pêche des Sauvages ?

discours direct : **les paroles sont rapportées telles qu'elles ont été prononcées, entre guillemets.**

discours indirect : **les paroles rapportées s'intègrent au récit.**

narrateur : **celui qui raconte l'histoire.**

Étudier le vocabulaire

4. Comment est formé le verbe *« grenouiller »* (ligne 9) ? Comment appelle-t-on un mot nouveau inventé par un auteur ?

Étudier le discours

5. Quels sont les éléments permettant de reconnaître le discours direct* ?

6. Relevez les passages qui sont au discours direct et transformez-les en discours indirect*.

7. Quel est l'effet produit par l'emploi du discours direct ?

Étudier l'écriture : le regard admiratif du narrateur

8. Qu'est-ce que le narrateur* admire chez les Sauvages ?

9. Citez les termes et expressions qui révèlent son affection pour eux.

ÉTUDIER UN THÈME : LA SAGESSE SAUVAGE

10. En quoi consiste la sagesse sauvage ?

11. À quel sujet le narrateur en a-t-il déjà parlé dans les chapitres précédents ?

À VOS PLUMES !

12. De retour chez lui, un Indien raconte l'épisode de la barque renversée à l'un de ses compagnons resté au village. Écrivez le dialogue entre les deux hommes en veillant à ce que les étapes de l'aventure apparaissent clairement.

Les arbres, les herbes, les racines et les fruits exquis que produit la terre de Brésil

[…] Parce que, parmi les arbres les plus célèbres et désormais connus de nous, le bois de brésil[1], qui a donné son nom à cette terre, est des plus appréciés pour la teinture qu'on en tire, je commencerai ici par sa descrip-
5 tion. Cet arbre, que les Sauvages appellent *araboutan*, pousse ordinairement aussi haut et touffu que les chênes de nos forêts, et il y en a de si gros que trois hommes ne sauraient embrasser leur tronc. […]

Mais pour le charger sur les navires, ce dont je veux
10 parler ici, notez qu'à cause de la dureté, et donc de la difficulté de couper ce bois, et parce qu'il n'y a ni

notes

1. le bois de brésil : bois de teinture donnant aux tissus une couleur de braise, d'où son nom.

chevaux ni ânes, ou autres bêtes pour porter, charrier[1] ou traîner les fardeaux dans ce pays, ce sont nécessairement les hommes qui le portent. Et si les voyageurs étrangers n'étaient aidés des Sauvages, en un an ils ne sauraient charger un navire de taille moyenne.

Les Sauvages donc, moyennant quelques habits de frise, chemises de toile, chapeaux, couteaux et autres marchandises, à l'aide des cognées, coins de fer et divers outils que les Français et les autres nations d'ici leur apportent, abattent, scient, fendent, découpent en quartiers et en rondelles ce bois de brésil. Mais ils le portent aussi sur leurs épaules toutes nues, le plus souvent sur une ou deux lieues de distance, à travers les montagnes et les passages les plus difficiles d'accès, jusqu'aux bateaux ancrés en bordure de mer, où les marins le reçoivent. Je précise que les Sauvages coupent leur bois de brésil depuis que les Français et les Portugais sont installés dans leur pays. Car auparavant, comme je l'ai appris des vieillards, ils n'imaginaient d'autre moyen d'abattre un arbre que de mettre le feu au pied. [...]

Du reste, nos *Toüoupinambaoults* sont fort étonnés de voir les Français et les autres habitants de nos lointains pays se donner tant de peine pour aller chercher leur *araboutan*, ou bois de brésil. Une fois, un vieillard me demanda à ce sujet : « Pourquoi vous autres *Mairs* et *Peros*, c'est-à-dire Français et Portugais, venez-vous de si loin chercher du bois pour vous chauffer ? N'y en a-t-il pas dans votre pays ? » Je lui répondis que si, et même en grande quantité, mais pas des mêmes espèces que le leur, ni même du bois de brésil, lequel nous ne brûlions pas comme il le croyait, mais, tout comme

notes

1. charrier : transporter dans une charrette.

ils l'employaient pour rougir leurs fils de coton, plumes et autres, nous l'emmenions pour faire de la teinture. Il me répliqua aussitôt : « Certes, mais en avez-vous besoin d'autant ? » « Oui, lui dis-je en lui montrant que cela était
45 bien, car il y a un marchand dans notre pays qui a plus de frises et de draps rouges et même, essayant toujours de lui parler de choses connues de lui, plus de couteaux, ciseaux, miroirs et autres marchandises que vous n'en avez jamais vu ici. Et un homme comme lui achètera à lui seul tout le bois
50 de brésil chargé sur plusieurs bateaux revenant de ton pays. » « Ah, ah ! dit mon Sauvage, tu me contes des merveilles. » Puis ayant bien retenu ce que je venais de lui dire, il me questionna davantage : « Mais cet homme si riche dont tu me parles, ne meurt-il point ? » « Bien sûr qu'il meurt,
55 répondis-je, comme les autres. » Sur quoi, comme ce sont de grands discoureurs et qu'ils soutiennent fort bien une conversation jusqu'au bout, il me demanda aussitôt : « Et quand il est mort, à qui va tout le bien qu'il laisse ? » « À ses enfants s'il en a, à défaut à ses frères et sœurs, ou à ses
60 plus proches parents. » « Vraiment, dit alors mon vieillard, nullement lourdaud comme vous en jugerez, je comprends à présent que vous autres *Mairs*, c'est-à-dire Français, êtes de grands fous. Car avez-vous besoin de vous donner tant de peine pour traverser la mer, sur laquelle, comme vous nous
65 l'avez raconté à votre arrivée, vous endurez tant de maux, pour amasser des richesses pour vos enfants ou ceux qui vous survivront ? La terre qui vous a nourris ne suffit-elle pas aussi à les nourrir ? Nous avons, ajouta-t-il, des parents et des enfants que, tu le vois, nous aimons et chérissons. Mais
70 parce que nous sommes sûrs qu'après notre mort, la terre qui nous a nourris les nourrira, sans nous en soucier davantage, nous nous reposons sur cela. » Voilà en résumé le

L'abattage du bois de brésil,
gravure parue dans *La Cosmographie universelle*
d'André Thevet, Paris, 1575.

véritable discours que j'ai entendu de la propre bouche d'un pauvre Sauvage américain. Ainsi cette nation que nous 75 estimons si barbare, se moque-t-elle de bon cœur de ceux qui, au péril de leur vie, traversent la mer pour aller chercher du bois de brésil afin de s'enrichir. Et quelque aveugle qu'elle soit, elle accorde une plus grande confiance à la nature et à la fertilité du sol que nous à la puissance et à la 80 providence divines. Elle se lèvera pour juger les auteurs de rapines[1], qui portent le titre de Chrétiens et sont aussi nombreux parmi nous que rares chez eux, pour ne parler que des habitants naturels. C'est pourquoi, je l'ai dit ailleurs, les *Toüoupinambaoults* haïssant mortellement les avaricieux, 85 afin qu'ils servent dès ce monde de démons et de furies pour tourmenter nos gouffres insatiables, qui jamais satisfaits ne font ici que sucer le sang et la moelle d'autrui, plût à Dieu que tous les avares soient confinés parmi eux. Pour notre plus grande honte et pour justifier le peu d'intérêt que nos 90 Sauvages accordent aux choses de ce monde, il fallait que je fisse cette digression en leur faveur. [...]

[Après avoir loué la saveur exquise des bananes et des ananas, deux fruits jusque-là ignorés des Européens, Jean de Léry décrit l'usage particulier que les Sauvages font de certaine herbe, le 95 *petun* ou tabac.]

À l'égard des simples[2] produits par cette terre de Brésil, il en est un en particulier que nos *Toüoupinambaoults* nomment *petun*[3], qui croît de la même manière mais un peu plus

notes

1. rapines : vols, pillages.

2. simples : plantes médicinales.

3.* petun *: nom tupi du tabac.

haut que notre grande oseille, a des feuilles semblables mais rappelant encore plus celles de la *Consolida major.* Cette herbe, en raison d'une singulière vertu[1] dont je vais vous parler, est très prisée des Sauvages. Voici ce qu'ils en font. Après l'avoir cueillie, pendue par petites poignées et fait sécher chez eux, ils en prennent quatre ou cinq feuilles qu'ils enveloppent dans une autre grande feuille d'arbre comme un cornet d'épices. Ils enflamment alors le petit bout, le placent ainsi allumé dans leur bouche, et de cette façon en tirent la fumée. Bien que celle-ci ressorte par leurs narines et leurs lèvres trouées, elle ne manque pas néanmoins de les sustenter[2] au point que, surtout s'ils partent en guerre et sont pressés par la nécessité, ils resteront trois ou quatre jours sans se nourrir autrement. Au vrai, ils destinent aussi cette herbe à un autre usage. Elle distille les humeurs superflues du cerveau[3], et de fait vous trouveriez difficilement un Brésilien sans son cornet au cou, et à tout moment, parce que cela leur donne une contenance quand ils s'adressent à vous, ils en hument la fumée. Je l'ai dit, ils referment soudain la bouche, et cette fumée dont l'odeur n'est pas déplaisante ressort par leur nez et leurs lèvres fendues, comme avec un encensoir[4]. Je n'ai pas vu les femmes en user et j'ignore pourquoi. Mais j'ajouterai qu'ayant moi-même goûté cette fumée de *petun*, j'ai senti qu'elle rassasie et garde d'avoir faim. [...]

notes

1. vertu : pouvoir, force.

2. sustenter : alimenter, nourrir.

3. elle distille les humeurs superflues du cerveau : elle calme, apaise.

4. encensoir : vase sacré dans lequel on brûle l'encens lors des cérémonies religieuses.

Au fil du texte

Questions sur le chapitre 13 (pages 66 à 71)

AVEZ-VOUS BIEN LU ?

1. Dégagez les différentes parties de ce chapitre et donnez un titre à chacune.

2. D'où vient le nom du Brésil ?

ÉTUDIER LE VOCABULAIRE ET LA GRAMMAIRE

3. Quels sont la formation et le sens du mot « *insatiables* » (ligne 86) ? Quels mots formés sur le même radical connaissez-vous ?

4. Dans quel sens est employé l'adjectif « *aveugle* » (ligne 77) ?
Comment comprenez-vous « *Et quelque aveugle qu'elle soit* » ? Formulez autrement ce segment de phrase et donnez-en la nature et la fonction.

ÉTUDIER LE DISCOURS

5. Lignes 35 à 72 : décrivez la situation de communication*.

6. Lignes 31 à 74 : relevez les passages au discours direct* et ceux au discours indirect*.
Quel est l'intérêt du discours direct ?

ÉTUDIER LE GENRE DU TEXTE : LITTÉRATURE DIDACTIQUE* ET PRÉDICATION*

7. Dans ce chapitre, quelles sont les informations fournies par Léry sur les Sauvages et le Brésil ?

situation de communication : elle donne l'identité de celui qui produit le message, de celui ou ceux auxquels il est destiné, des autres récepteurs, et précise le code, le canal et les circonstances de la création du message.

discours direct : les paroles sont rapportées telles qu'elles ont été prononcées, entre guillemets.

discours indirect : les paroles rapportées s'intègrent au récit.

littérature didactique : littérature qui prend la réalité comme matière d'enseignement.

prédication : sermon, leçon de morale.

8. Relevez une comparaison. Que remarquez-vous ?

9. À combien de reprises l'auteur emploie-t-il l'expression *« c'est-à-dire »* ? Comment expliquez-vous le recours à cette expression ?

10. Léry cite des termes en langue tupi. Pourquoi ? Quel est l'effet produit ?

11. Après le discours du vieillard, que fait Léry (lignes 74 à 91) ?

12. Quelle est l'opposition qu'il développe dans ces lignes ?

13. En justifiant votre réponse par des citations du texte, qualifiez le ton des lignes 74 à 91.

14. Relevez dans ce passage les termes et expressions relevant du vocabulaire religieux et moral.

15. Quelle est l'image développée dans ce passage ?

ÉTUDIER UN THÈME : LA SAGESSE SAUVAGE

16. Définissez la sagesse sauvage.

17. Qui en est le porte-parole ?

18. À quels propos en a-t-il déjà été question ?

19. Commentez l'adjectif *« barbare »* (ligne 75).

À VOS PLUMES !

20. Imaginez que vous êtes Jean de Léry découvrant les bananes ou les ananas. Comme lui, décrivez ces fruits aussi précisément que possible pour les faire connaître aux lecteurs qui ignorent leur existence. Pensez à comparer leur aspect, leur odeur, leur saveur avec ceux d'aliments familiers à vos lecteurs (15 lignes environ).

Chapitres 14 et 15

La guerre, les combats, la hardiesse et les armes des Sauvages

[…] Ces barbares ne se font pas la guerre pour conquérir les possessions et les terres des uns et des autres : chacun en a plus qu'il ne lui en faut. Les vainqueurs prétendent encore moins s'enrichir des dépouilles, rançons et armes des vaincus. Ce n'est pas, dis-je, tout cela qui les mène. Comme eux-mêmes le confessent, ils ne sont poussés par d'autre désir que de venger, chacun de leur côté, leurs parents et amis qui par le passé ont été capturés et mangés comme je le décrirai au chapitre suivant. Et ils sont tellement acharnés les uns contre les autres que celui qui tombe aux mains de son ennemi doit s'attendre à être traité de même, c'est-à-dire assommé et mangé, sans aucune autre composition[1] possible. […]

notes

1. composition : accord, arrangement.

[Les Sauvages combattent avec des épées en bois, des arcs et des flèches. Ils se protègent des flèches ennemies avec des boucliers mais restent nus, estimant que le plus léger vêtement ralentirait leurs mouvements. Jean de Léry a assisté à un combat entre tribus ennemies ; en voici la description.]

Tout d'abord, apercevant leurs ennemis à environ un demi-quart de lieue[1], nos *Toüoupinambaoults* se mirent à hurler si fort qu'en comparaison ceux qui chassent le loup ici ne font pas un tel tapage, et il est certain que dans cet air saturé de leurs cris et de leurs hurlements, nous n'aurions pu entendre le tonnerre. En outre, à mesure qu'ils approchaient, ils redoublaient leurs cris, sonnaient de leurs cornets, et levant les bras, se menaçaient et se montraient les uns aux autres les os des prisonniers qu'ils avaient mangés, leurs dents même, dont certains portaient plus de deux brasses[2] autour du cou. Leurs contenances étaient horribles à voir, mais la rencontre fut encore pire. Aussitôt qu'ils furent à deux ou trois cents pas l'un de l'autre, ils se saluèrent à grand renfort de flèches, et dès le début de l'escarmouche[3], vous auriez pu en voir voler une infinité dans les airs, drues[4] comme des mouches. S'ils étaient touchés, comme plusieurs le furent, avec un merveilleux courage ils arrachaient les flèches de leurs corps, les brisaient et tels des chiens enragés en croquaient les morceaux à belles dents, puis ne manquaient pas de retourner au combat, même tout meurtris[5]. À ce sujet, notons que ces Américains sont si acharnés dans leurs guerres que tant qu'ils peuvent remuer bras et jambes, sans

notes

1. ***lieue :*** ancienne mesure de distance qui valait environ 4 km.

2. ***brasse :*** mesure de longueur valant environ 1,60 m.

3. ***escarmouche :*** lutte.

4. ***drues :*** serrées.

5. ***meurtris :*** blessés.

reculer ni tourner le dos, ils ne cessent de combattre. Enfin, une fois dans la mêlée, avec leurs épées et massues de bois, à grands coups assenés[1] des deux mains, ils se chargèrent si violemment que celui qui frappait la tête de son ennemi ne
45 l'envoyait pas seulement à terre, mais l'assommait comme les bouchers assomment les bœufs ici. [...]

Après cette escarmouche qui dura environ trois heures, causant de part et d'autre beaucoup de blessés et de morts, nos *Toüoupinambaoults* remportèrent finalement la victoire,
50 et firent prisonniers plus de trente hommes et femmes *Margajas*, qu'ils emmenèrent sur leur territoire. [...]

La manière dont les Américains traitent leurs prisonniers de guerre, et les cérémonies qu'ils observent pour les tuer et les manger

À présent, il me reste à décrire la manière dont les prisonniers de guerre sont traités par leurs ennemis. À peine arrivés, ils sont nourris avec les meilleurs aliments possibles,
55 mais on offre aussi des femmes aux hommes, mais non des maris aux femmes, et même celui qui a un prisonnier ne fera pas de difficulté à lui donner en mariage sa fille ou sa sœur. Celle choisie par le prisonnier le traitera bien et pourvoira à tous ses besoins. En outre, sans terme fixé à l'avance, mais
60 selon qu'ils estimeront les prisonniers bons chasseurs ou bons pêcheurs, et les prisonnières bonnes à jardiner ou à aller chercher les huîtres, ils les gardent plus ou moins longtemps. Néanmoins, après les avoir engraissés tels des pourceaux

notes

1. assenés : donnés, frappés.

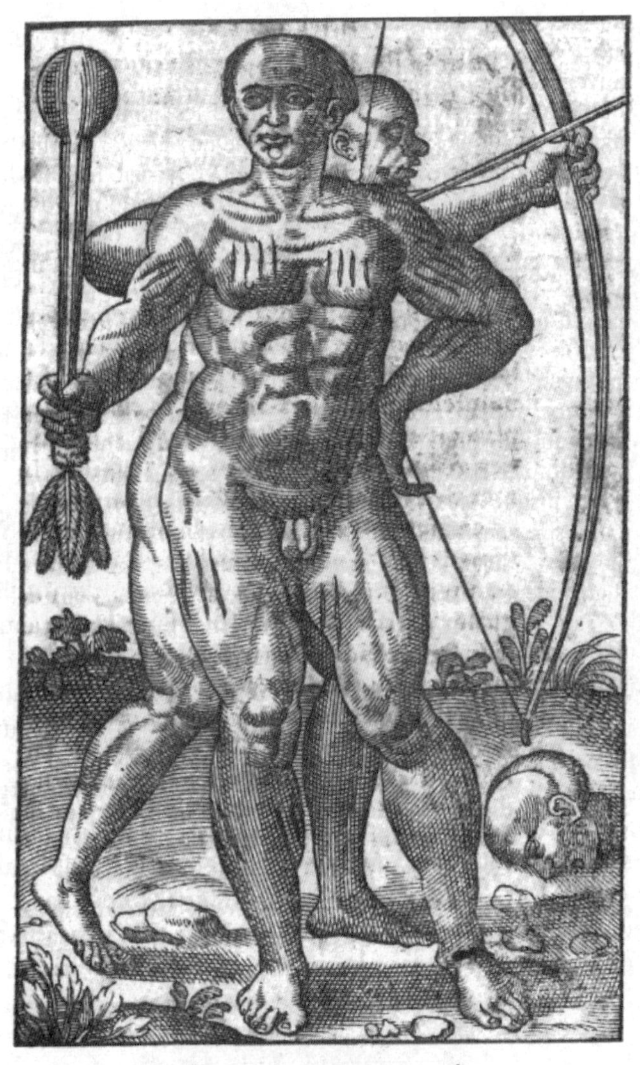

Guerrier tenant une massue et archer, gravure parue dans *Voyage en terre de Brésil* de Jean de Léry, Paris, édition de 1580.

dans l'auge[1], ils finissent par les assommer et les manger au
65 cours des cérémonies que voici.

En premier lieu, après que tous les villages situés aux alentours de celui où est le prisonnier auront été avertis du jour de l'exécution, hommes, femmes et enfants s'y rendront de toutes parts, et il ne sera question que de danser, boire et
70 *caoüiner* toute la matinée. Celui même qui sait que cette assemblée a lieu en son honneur, et que dans peu de temps il sera assommé et emplumé, loin d'en être attristé, au contraire sautant et buvant comme les autres, figurera parmi les plus joyeux. Mais après qu'avec eux il se sera ainsi débau-
75 ché et aura chanté pendant six ou sept heures, deux ou trois des plus estimés du groupe l'empoigneront et l'attacheront au milieu du corps avec des cordes de coton ou d'écorce d'un arbre appelé *yvire*, semblable à celle du til[2] ici. Sans qu'il oppose la moindre résistance, bien qu'il garde les deux
80 bras libres, il est quelque temps promené ainsi en trophée à travers le village. Mais croiriez-vous que pour autant, comme nos criminels, il baisse la tête ? Rien moins que cela. Au contraire, avec une audace et une insolence incroyables, il se vante de ses prouesses passées, et dira à ceux qui le
85 tiennent attaché : « Moi-même, courageux comme je suis, j'ai aussi tout d'abord attaché et garrotté[3] vos parents. » Puis s'exaltant toujours plus, avec le même aplomb, se tournant d'un côté puis de l'autre, il dira à l'un : « J'ai mangé de ton père », à l'autre : « J'ai assommé et boucané[4] tes
90 frères. » « Bref, ajoutera-t-il, en tout j'ai mangé tant d'hommes et de femmes, et même tant de vos enfants à

notes

1. auge : mangeoire du porc.

2. til : chanvre.

3. garrotté : lié très solidement.

4. boucané : fait rôtir.

vous, *Toüoupinambaoults*, capturés à la guerre, que je n'en saurais dire le nombre. Du reste, ne doutez pas que pour venger ma mort, le peuple des *Margajas* auquel j'appartiens, n'en mange encore après autant qu'il pourra en attraper. »

Enfin, après qu'il aura ainsi été exposé à la vue de tous, les deux Sauvages qui le tiennent attaché s'éloigneront de lui, l'un à droite, l'autre à gauche, d'environ trois brasses[1]. Cependant, chacun tenant fermement le bout de sa corde, toutes deux de même longueur, ils tirent alors si rudement que le prisonnier, attaché comme je l'ai dit au milieu du corps, est immobilisé et ne peut plus aller ni venir d'un côté ni de l'autre. On lui apporte alors des pierres ou des tessons[2] de vieux pots cassés, ou les deux ensemble. Puis ceux qui tiennent les cordes, de peur d'être blessés, se protègent avec une de ces rondaches[3] faites avec la peau du *tapiroussou*, dont j'ai parlé ailleurs, et disent au prisonnier : « Venge-toi avant de mourir. » Et lui de jeter et lancer fort et ferme ces pierres et ces tessons contre ceux assemblés là autour de lui, parfois au nombre de trois ou quatre mille. Ne demandez pas s'il en blesse. En effet, un jour que j'étais dans un village nommé *Sarigoy*, je vis un prisonnier frapper ainsi avec une pierre un si grand coup dans la jambe d'une femme que je crus qu'il la lui avait cassée. Puis le prisonnier ayant lancé les pierres et tout ce qu'en se baissant il a pu ramasser près de lui, jusqu'aux mottes de terre, celui qui doit donner le coup final, et qui ne s'est pas encore montré de toute la journée, sort d'une maison, une de ces grandes épées de bois au poing, richement ornée tout comme sa coiffe et les diverses parures de son corps de plumes magnifiquement belles.

notes

1. brasse : mesure de longueur valant environ 1,60 m.

2. tessons : débris de pots.

3. rondaches : boucliers ronds.

S'approchant du prisonnier, il lui tient ordinairement ce discours : « N'appartiens-tu pas au peuple des *Margajas*, nos ennemis ? Et n'as-tu pas toi-même tué et mangé de nos parents et amis ? » L'autre, avec plus d'assurance que jamais, 125 répond dans sa langue, car les *Margajas* et les *Toupinenquins*[1] se comprennent : *« Pa, che tan tan, aiouca atoupavé. »*, c'est-à-dire « Oui, je suis très fort et en vérité, j'en ai assommé et tué beaucoup. » Puis pour causer plus de dépit à ses ennemis, les mains sur la tête il s'exclame : « Oh, non je n'ai pas 130 fait semblant, j'ai été hardi à attaquer et capturer vos hommes, dont j'ai mangé tant et tant de fois », et il ajoute divers propos de même nature. Et celui qui est là, tout prêt à le massacrer, déclare : « Puisque maintenant c'est toi qui es en notre pouvoir, tu vas d'abord être tué par moi, puis *boucané* 135 et mangé par tous les nôtres. » « Eh bien, répond encore l'autre, aussi résolu d'être assommé pour sa nation que Regulus fut constant à endurer la mort pour sa république romaine[2], mes parents me vengeront à leur tour. » [...]

Pour poursuivre sur ce sujet, ces répliques finies, mais le 140 plus souvent tout en continuant à discuter, celui qui est là fin prêt à exécuter le massacre lève alors sa massue de bois des deux mains, et donne avec le rond situé au bout un coup d'une telle force sur la tête du pauvre prisonnier que, tout comme les bouchers assomment les bœufs chez nous, j'en ai 145 vu qui du premier coup tombaient raides morts, sans plus remuer ni bras ni jambe. Au vrai, même étendus à terre, à cause des nerfs et du sang qui se retire, on les voit un peu frémir et trembler. [...]

notes

***1.* Toupinenquins :** autre nom des *Toüoupinambaoults*.

2. sa république romaine : en 250 avant Jésus-Christ, lors de la Ire guerre punique, Regulus, consul et général romain, fut capturé par Carthage et envoyé à Rome sur parole pour négocier. Mais il dissuada Rome de céder et fut supplicié à son retour à Carthage.

Welches nun eyn ehr vnter jnen iſt/ dañ nimpt der wide-
r. vnd das holtz der den todt ſchlagen ſol/ vnd ſagt dann/ Ja
hie bin ich/ ich wil dich tödten/ dann die deinen haben meine
freunde auch vil getödtet vnd geſſen/ antwortet er/ wann ich
todt bin/ ſo habe ich noch vil freunde/ die werden mich wol
rechen/ darmit ſchlecht er jnen/ binden auff den kopff/ das jm
das hirn daraus ſpringt/ als bald nemen jn die weiber/ zihen
e iij

Exécution d'un prisonnier encordé,
gravure parue dans *Warhaftige Historia*…
de Hans Staden, Marburg, 1557.

[Le prisonnier assommé, l'épouse qu'on lui avait donnée pleure mais s'empresse néanmoins avec les autres femmes de préparer le corps à être cuit. Nettoyé par leurs soins, il est ensuite découpé en morceaux et déposé sur le *boucan* pour être rôti.
Chaque Sauvage, homme, femme et enfant, aura sa part de chair humaine et aura goûté de son ennemi avant la fin de la fête. Mais Jean de Léry précise :]

Cependant, contrairement à ce que l'on pourrait penser, ils n'agissent pas ainsi pour se nourrir. En effet, bien que tous reconnaissent que cette chair humaine est merveilleusement bonne et délicate, c'est néanmoins plus par vengeance que par goût, excepté, je l'ai dit, les vieilles femmes qui en sont si friandes. En poursuivant et rongeant ainsi les morts jusqu'aux os, leur principal but est d'effrayer et d'épouvanter les vivants. De fait, pour assouvir leurs appétits féroces, ils dévorent entièrement tout ce que l'on peut trouver sur les corps de ces prisonniers, du bout des orteils au nez, aux oreilles et au sommet du crâne. J'exclus toutefois la cervelle à laquelle ils ne touchent pas. [...]

Je pourrais encore donner d'autres exemples semblables de la cruauté des Sauvages envers leurs ennemis, mais il me semble en avoir dit assez pour horrifier chacun et faire dresser les cheveux sur la tête. Néanmoins, que ceux qui liront ces crimes si horribles, perpétrés quotidiennement entre ces peuples barbares de la terre de Brésil, pensent un peu attentivement à ce qui se fait ici chez nous. À ce sujet, je dirai donc tout d'abord que si l'on considère à bon escient[1] ce que font nos gros usuriers[2], qui sucent le sang et la moelle

notes

1. à bon escient : avec discernement, à raison.

2. usuriers : personnes qui prêtent de l'argent à intérêt.

et, de fait, dévorent vivants tant de veuves, orphelins et pauvres gens, auxquels il vaudrait mieux couper la gorge d'un seul coup que de les laisser ainsi languir[1], on les trou-
180 vera encore plus cruels que les Sauvages dont je parle. Voilà aussi pourquoi le Prophète dit que ces personnes écorchent la peau, mangent la chair, rompent et brisent les os du peuple de Dieu, comme s'ils les faisaient bouillir dans une chaudière[2]. Même, si l'on envisage l'action brutale de
185 mâcher et manger réellement, comme on dit, de la chair humaine, ne s'en est-il pas trouvé dans nos régions, parmi ceux mêmes qui portent le titre de Chrétiens, en Italie et ailleurs, qui, non contents de cruellement faire périr leurs ennemis, n'ont pu rassasier leur haine qu'en dévorant leur
190 foie et leur cœur ? Je m'en rapporte aux histoires. Sans chercher plus loin, que dire de la France ? Je suis Français et cela me fâche de le dire mais, durant la sanglante tragédie qui débuta à Paris le 24 août 1572[3], et dont je n'accuse pas ceux qui n'y sont pour rien, entre autres actes atroces à raconter
195 et alors perpétrés dans tout le Royaume, la graisse des corps humains, lesquels de façon plus barbare et cruelle que chez les Sauvages furent massacrés dans Lyon après être retirés de la Saône, ne fut-elle pas publiquement vendue au plus offrant et au dernier enchérisseur[4] ? Les foies, les cœurs et
200 autres parties des corps de quelques-uns ne furent-ils pas mangés par ces furieux meurtriers dont les enfers ont horreur ? [...]

notes

1. *languir* : demeurer dans un état de faiblesse.

2. *bouillir dans une chaudière* : référence au prophète Michée.

3. *le 24 août 1572* : jour de la Saint-Barthélemy, massacre à Paris des protestants français par les catholiques.

4. *enchérisseur* : personne qui fait une enchère, c'est-à-dire offre une somme supérieure aux précédentes pour l'achat d'un bien quelconque.

Qu'à présent donc on cesse de tant abhorrer[1] la cruauté des Sauvages anthropophages, c'est-à-dire mangeurs d'hommes. Car il y en a de semblables, voire de plus détestables et pires parmi nous. Eux, on l'a vu, ne se ruent que sur les peuples ennemis, alors que les nôtres se sont plongés dans le sang de leurs parents, de leurs voisins et de leurs compatriotes. Nul besoin d'aller si loin dans leur pays ou en Amérique pour voir des actes aussi monstrueux et aussi prodigieux.

Assommé et découpé en morceau, le prisonnier est ensuite rôti, gravure parue dans *Cosmographia universalis* de Sébastien Münster, Bâle, 1554.

notes

1. abhorrer : détester, avoir en horreur.

Au fil du texte

Questions sur les chapitres 14 et 15 (pages 74 à 84)

AVEZ-VOUS BIEN LU ?

1. Pour quelle raison les Sauvages se font-ils la guerre (chap. 14, pages 74 à 76) ?

2. Qu'est-ce qui frappe le narrateur* dans l'affrontement entre Sauvages auquel il assiste ?

3. Déterminez les deux parties principales du chapitre 15 (pages 76 à 84). Comment s'articulent-elles ?

4. Donnez les étapes de la cérémonie d'exécution.

narrateur : **celui qui raconte l'histoire.**

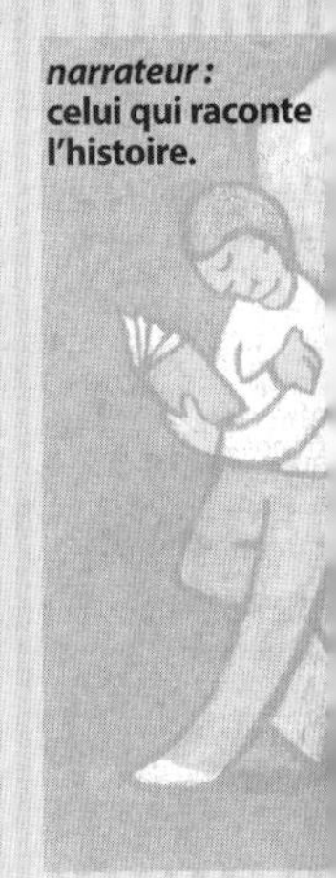

ÉTUDIER LE VOCABULAIRE ET LA GRAMMAIRE

5. Dans quel sens sont employés les verbes *« sucer »* et *« dévorer »* (lignes 176-177) ? Relevez d'autres termes employés dans le même sens dans les lignes suivantes (lignes 180 à 184).

6. Lignes 174 à 180 : relevez les subordonnées relatives et donnez leurs antécédents.

ÉTUDIER L'ÉCRITURE

7. Lignes 66 à 74 : relevez tous les emplois de la conjonction de coordination *« et »*. Quelle est la nature des termes coordonnés ?

8. Lignes 74 à 95 : relevez les couples de termes coordonnés par *« et »* ou une autre conjonction.

9. D'après les réponses aux questions précédentes, quelle caractéristique de l'écriture de Jean de Léry remarquez-vous ?

ÉTUDIER UN THÈME : LA CRITIQUE DE LA SOCIÉTÉ EUROPÉENNE

10. À quoi Jean de Léry compare-t-il les cruautés des Indiens ?

11. Pourquoi celles commises par les Européens sont-elles plus graves, selon lui ?

12. Lignes 168 à 202 : quel est le champ lexical* le mieux représenté ? Quelle image Jean de Léry donne-t-il de la société européenne ?

13. À qui s'applique l'accusation d'anthropophagie, au début du chapitre 15 ? à la fin du chapitre 15 ? A-t-on déjà observé un renversement identique ?

champ lexical : **ensemble des termes et expressions se rapportant à une même idée.**

discours direct : **les paroles sont rapportées telles qu'elles ont été prononcées, entre guillemets.**

discours indirect : **les paroles rapportées s'intègrent au récit.**

À VOS PLUMES !

14. Lignes 83 à 95 : transformez le discours direct* en discours indirect*.

15. Réécrivez ce récit de l'exécution du point de vue de la victime, jusqu'à ce qu'elle soit assommée. Veillez à restituer le maximum de détails et à faire une place aux sentiments du condamné : peurs éventuelles, désir de vengeance, audace et insolence.

LIRE L'IMAGE

16. Combien de plans distinguez-vous sur la représentation de la page 81 ?

17. Quels sont les éléments du texte que l'on y trouve représentés ?

Chapitres 16, 18 et 19

Ce que l'on peut appeler religion chez les Sauvages américains. Les erreurs où les tiennent certains abuseurs, nommés *caraïbes*, vivant parmi eux, et la grande ignorance de Dieu où ils sont plongés

[…] D'abord ils n'ont aucune connaissance du seul et vrai Dieu, et, malgré la coutume de tous les anciens païens[1] d'avoir plusieurs dieux, des idolâtres[2] encore aujourd'hui, même des Indiens du Pérou, terre située aux frontières de la leur à environ cinq cents lieues[3] au sud, lesquels font des sacrifices en l'honneur du Soleil et de la Lune, nos Sauvages en sont encore à ne confesser et à

notes

1. païens : peuples d'une religion autre que le christianisme, le judaïsme et l'islam, et adorant souvent plusieurs dieux.

2. idolâtres : qui rendent un culte divin à l'image d'une divinité, comme si cette image était la divinité elle-même.

3. lieue : ancienne mesure de distance qui valait environ 4 km.

n'adorer aucun dieu céleste ou terrestre. Ne disposant par conséquent d'aucunes formules, d'aucun lieu pour se
10 rassembler et célébrer un service ordinaire, ils ne prient religieusement ni en public ni en privé. De même, ignorant la création du monde, ils ne distinguent pas les jours par des noms, et n'accordent pas plus d'importance à l'un qu'à l'autre. Ils ne comptent pas non plus les semaines, mois ou
15 années, et calculent et retiennent le temps qui passe seulement grâce aux lunes. Quant à l'écriture, sainte ou profane[1], ils ne savent pas non plus de quoi il s'agit, et ne disposent en outre d'aucun signe pour désigner une chose. Au début, pour apprendre leur langue à mon arrivée dans leur pays,
20 j'écrivais des phrases que je leur lisais ensuite. Eux croyaient que c'était de la sorcellerie et répétaient entre eux : « N'est-il pas fabuleux que cet homme qui hier n'aurait su prononcer un mot dans notre langue, grâce à ce papier qu'il tient et qui le fait parler ainsi, soit à présent compris de nous ? » [...]

25 Pour en revenir à nos *Toüoupinambaoults*, quand cela venait à propos dans une discussion, nous leur expliquions que nous croyions en un seul et souverain Dieu, Créateur du monde, qui ayant façonné le ciel et la terre et toutes choses qui y sont contenues, gouverne et dispose aussi de tout selon
30 sa volonté. Mais eux, dis-je, nous entendant réciter cet article de foi, se regardaient l'un l'autre tout étonnés, et lançaient cette interjection d'ébahissement *teh !*, habituelle chez eux. Comme je l'expliquerai plus en détail, quand ils entendent le tonnerre qu'ils nomment *toupan*, ils sont très effrayés, et si
35 nous accommodant à leur rudesse, nous saisissions là une

notes

1. *sainte ou profane* : il s'agit à la fois de l'écriture qui permet de communiquer à travers les temps et les lieux, et de l'Écriture sainte, parole de Dieu aux hommes.

occasion de leur dire que c'était le Dieu dont nous parlions, qui pour montrer sa grandeur et sa puissance faisait ainsi trembler ciel et terre, leur explication et leur réponse étaient que puisqu'il les épouvantait ainsi, il ne valait rien. Voilà, chose ô
40 combien déplorable, où en sont réduits ces pauvres gens. [...]

[Cependant, les *Toüoupinambaoults* pensent que les âmes sont immortelles et que, séparées du corps après la mort, les unes s'envolent pour rejoindre celles de leurs ancêtres et danser dans de magnifiques jardins, tandis que les autres sont tourmentées pour
45 l'éternité par *Aygnan*, leur diable.
Parmi les Indiens vivent les *caraïbes* qui leur font croire que, communiquant avec les esprits, ils peuvent donner la force de vaincre à qui ils veulent, mais aussi faire pousser les fruits et les légumes, sources de vie.]

Ce que l'on peut appeler lois et police civile[1] chez les Sauvages. Leur manière de traiter et recevoir avec humanité les amis qui leur rendent visite ; les pleurs et joyeux discours des femmes pour souhaiter la bienvenue à l'arrivée de ceux-ci

50 Quant à leur police, il est presque incroyable et honteux pour ceux qui vivent sous les lois divines et humaines, que seulement guidés par leur naturel, quelque corrompu qu'il soit, les Sauvages coexistent et vivent si bien en paix les uns avec les autres. J'entends toutefois au sein de
55 chaque peuple ou entre alliés, car pour les ennemis, on a vu

notes

1. police civile : organisation sociale.

l'étrange manière dont ils sont traités. Cependant, si une dispute éclate, événement si rare qu'au cours de l'année passée parmi eux je ne les ai vu se battre que deux fois, il s'en faut de beaucoup que les autres essaient de séparer ou de calmer les opposants. Au contraire, dussent-ils se crever les yeux l'un l'autre, on les laissera faire sans rien leur dire. Mais si l'un d'entre eux est blessé par son prochain et que le coupable est appréhendé, il recevra des proches parents de l'offensé la même blessure au même endroit. Voire, si l'un meurt des suites des coups ou qu'il est tué sur le champ, ses parents feront aussi perdre la vie au meurtrier. En un mot, c'est vie pour vie, œil pour œil, dent pour dent, etc. Mais je l'ai dit, cela arrive très rarement entre eux. [...]

Voici à présent les cérémonies que les *Toüoupinambaoults* observent quand ils reçoivent leurs amis en visite. Tout d'abord, dès que le voyageur est arrivé à la maison du *moussacat*, c'est-à-dire le bon père de famille qui donne à manger à ceux qui passent, que le voyageur aura choisi pour hôte, comme il doit faire dans chaque village où il va, et sous peine de le fâcher ne pas se rendre premièrement ailleurs quand il arrive, il doit s'asseoir dans un lit de coton suspendu en l'air, et y rester un petit moment sans dire mot. Ensuite les femmes viennent autour du lit, s'accroupissent fesses contre terre et, les mains sur les yeux, pleurent ainsi la bienvenue de celui dont il est question, tout en répétant mille choses à sa louange[1]. [...]

notes

1. à sa louange : cet accueil larmoyant semble dérivé du culte des morts, les étrangers étant salués comme des revenants.

La bienvenue chez les *Toüoupinambaoults*, gravure parue dans *Voyage en terre de Brésil* de Jean de Léry, Paris, édition de 1580.

Si à son tour le nouveau venu, installé dans son lit, veut leur faire plaisir, de son côté il fera bonne figure et s'il ne veut pleurer tout à fait, comme j'en ai vu de notre nation
85 qui entendant ces femmes brailler près d'eux les imitaient et se mettaient à pleurer comme des veaux, tout au moins devra-t-il feindre[1] et leur répondre en poussant quelques soupirs. [...]

[Ces salutations finies, c'est alors un copieux et savoureux repas
90 que l'hôte sert à son visiteur, objet de tous les soins et de toutes les attentions. L'auteur décrit ensuite la charité naturellement pratiquée entre les Indiens.]

Ils se distribuent et s'offrent chaque jour des cadeaux les uns aux autres, des venaisons[2], des poissons, des fruits et
95 autres produits de leur pays, et pratiquent la charité naturelle au point qu'un Sauvage, pour le dire ainsi, mourrait de honte s'il voyait son prochain ou son voisin manquer à ses côtés d'une chose qu'il possédât. Mais aussi, j'en ai fait l'expérience, ils usent de la même libéralité[3] envers leurs
100 alliés étrangers. [...]

La façon dont les Sauvages soignent leurs maladies. Leurs sépultures, leurs funérailles et les grosses larmes qu'ils versent sur leurs morts

Pour en finir avec nos Sauvages d'Amérique, il faut savoir la manière dont ils se conduisent quand ils sont malades, et

notes

1. ***feindre*** : faire semblant, simuler.
2. ***venaisons*** : chairs de grand gibier, c'est-à-dire des gros animaux chassés pour être mangés.
3. ***libéralité*** : générosité.

à la fin de leurs jours, une fois proches de leur mort naturelle. Donc si l'un d'entre eux tombe malade, après qu'il aura
105 montré et fait comprendre où il a mal, aux bras, jambes ou autres parties du corps, cet endroit sera sucé avec la bouche par l'un de ses amis, et parfois par une espèce d'abuseurs qui vivent parmi eux, nommés *pagés*[1], c'est-à-dire barbier ou médecin, différents des *caraïbes* dont j'ai parlé en traitant de
110 leur religion, et qui leur font croire qu'ils arrachent la douleur, mais aussi prolongent la vie. [...] Quant à la manière dont ils nourrissent leurs malades, les Américains ont cette coutume que, dût-il rester au lit un mois sans manger, le malade ne recevra jamais la moindre nourriture s'il ne la
115 demande. Même, pour grave que soit la maladie, ceux qui sont en forme ne manqueront pas pour autant, selon leur coutume, de boire, sauter, chanter et faire du bruit autour du pauvre malade, qui pour sa part sait bien qu'il ne gagnerait rien à se fâcher et préfère avoir les oreilles rompues que de
120 dire quelque chose. Mais s'il meurt, surtout si c'est quelque bon père de famille, les chants se changent soudain en pleurs, et tous ils se lamentent au point que nous trouvant dans un village où il y avait un mort, il ne fallait pas y coucher, ou ne pas compter dormir de la nuit. Mais il est parti-
125 culièrement merveilleux d'entendre les femmes brailler si fort et si haut que ce sont comme des hurlements de chiens et de loups. [...] Ces cérémonies durent environ une demi-journée, car ils ne gardent guère plus longtemps le corps du mort. Une fois la fosse creusée, laquelle n'est pas allongée

notes

1. pagés : médecins redoutés des Sauvages, car ils disaient pouvoir guérir mais aussi rendre malade.

130 comme chez nous, mais ronde et profonde telle un grand tonneau à vin, le mort qui à peine expiré aura été plié, les bras et les jambes liés autour du corps, sera enterré ainsi presque debout. Et même, je l'ai dit, si c'est un bon vieillard, il sera mis en sépulture dans sa maison, enveloppé dans son 135 lit de coton, et on l'enterrera même avec quelques colliers, des ornements de plumes et divers objets qu'il portait habituellement quand il était en vie. [...]

Dès la nuit après qu'un corps a été enterré comme vous l'avez entendu, comme ils croient fermement que si *Aygnan*, 140 c'est-à-dire le diable dans leur langue, ne trouvait de la nourriture toute prête à côté du mort, il le déterrerait et le mangerait, ils mettent sur la fosse du défunt de grands plats en terre remplis de farine, de volailles, de poissons et de diverses nourritures bien cuites, accompagnées de leur boisson 145 appelée *caou-in*, et, jusqu'à ce qu'ils estiment que le corps est entièrement pourri, ils continuent ces services véritablement diaboliques. Il nous était d'autant plus malaisé de les tirer de cette erreur que les truchements de Normandie qui nous avaient précédés dans ce pays, imitant les prêtres de Bel[1] 150 mentionnés dans l'Écriture, prenaient la nuit ces bonnes nourritures pour les manger, et avaient tellement entretenu les Sauvages dans leur erreur, voire confirmés, que, bien que nous leur montrions par expérience que ce qu'ils déposaient le soir s'y trouvait encore le lendemain, c'est à peine si nous 155 réussîmes à persuader quelques-uns du contraire. [...]

notes

1. prêtres de Bel : ils dérobaient chaque nuit les offrandes de vivres faites au dieu Bel. Ils pouvaient ainsi faire croire que Bel était un dieu vivant, qui mangeait et buvait, mais aussi subvenir à leurs propres besoins.

Scène de deuil chez les *Toüoupinambaoults*, gravure parue dans *Voyage en terre de Brésil* de Jean de Léry, Paris, édition de 1580.

Au fil du texte

Questions sur les chapitres 16, 18 et 19 (pages 87 à 95)

AVEZ-VOUS BIEN LU ?

1. Pourquoi les Sauvages sont-ils étonnés de la manière dont le narrateur* apprend leur langue (chap. 16, pages 87 à 89) ?

2. Quelle est leur vision du Dieu chrétien (chap. 16) ?

3. Quels sont les trois sujets abordés au chapitre 18 (pages 89 à 92) ?

narrateur : celui qui raconte l'histoire.

4. Qu'est-ce qui explique la présentation par Jean de Léry des comportements sociaux décrits au chapitre 18 ?

5. Déterminez les différentes parties du chapitre 19 (pages 92 à 94), puis donnez un titre à chacune d'elles.

6. Quel nouveau membre de la communauté indienne apparaît au chapitre 19 ?

ÉTUDIER LA GRAMMAIRE

7. Transformez la proposition *« dût-il rester au lit un mois sans manger »* (ligne 113) en une proposition de même sens.
Quelle est la fonction de ces propositions ?

8. Sans changer le sens de la phrase, remplacez la préposition *« pour »* dans *« pour grave que soit la maladie »* (ligne 115) par un autre terme.
Quelle est la fonction de ces propositions ?

ÉTUDIER L'ÉCRITURE DIDACTIQUE* (chap. 19)

9. Quel est le temps majoritairement employé dans ce chapitre ? Quelle est sa valeur ?

10. Relevez les termes et expressions indiquant le passage d'un thème à l'autre, et la progression de l'exposé.

11. Citez les éléments du texte révélant que l'auteur veut fournir le maximum de détails au lecteur.

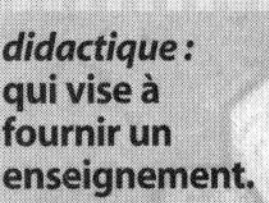

didactique : **qui vise à fournir un enseignement.**

12. Relevez les comparaisons et les termes explicatifs employés dans ce chapitre.

13. D'après les réponses aux questions précédentes, quelles sont les caractéristiques de l'écriture didactique ?

À VOS PLUMES !

14. Décrivez vous aussi de manière didactique le repas offert par l'hôte indien à son visiteur.

15. Rédigez le texte où Léry raconte comment ses compagnons et lui ont tenté de convaincre « par expérience » les Sauvages qu'*Aygnan* ne dérobait pas la nourriture placée sur les tombes.

LIRE L'IMAGE

16. Sur l'image de la page 91, qui est le personnage situé au troisième plan ? Pourquoi l'artiste a-t-il choisi de le représenter ?

17. Sur l'image de la page 95, qu'est-ce que l'artiste met en relief dans la cérémonie de deuil ? Pourquoi, selon vous ?

L'extrême famine, les tempêtes et autres dangers dont Dieu nous sauva lors de notre retour en France

[Jean de Léry et ses compagnons embarquent enfin, le 4 janvier 1558, à bord d'un *« vieux et méchant bateau »*, le *Jacques*, qui prend l'eau. Très vite, les vivres manquent.]

[…] Dès la fin du mois d'avril, nous fûmes complètement dépourvus de vivres, au point que nous dûmes, en guise de dernier mets[1], nettoyer et balayer la soute, c'est-à-dire la chambrette blanchie à la chaux et plâtrée où l'on garde le biscuit dans les navires, dans laquelle nous trouvâmes plus de vers et de crottes de rats que de miettes de pain, lesquelles nous séparâmes néanmoins

notes

1. mets : repas.

avec des cuillers pour en faire de la bouillie, aussi noire et amère que de la suie. Vous pouvez imaginer le plaisant repas ! Alors, ceux qui avaient encore des guenons et des perroquets, car beaucoup avaient depuis longtemps déjà mangé les leurs, pour leur apprendre un langage qu'ils ne connaissaient pas encore, les rangeant dans le cabinet[1] de leur mémoire, les firent servir de nourriture. Bref, dès le début du mois de mai, quand tous les vivres ordinaires nous manquèrent, deux marins morts enragés de faim furent, comme cela se pratique en mer, jetés et mis en sépulture par-dessus bord.

En outre, durant cette famine, la tempête continuant jour et nuit pendant trois semaines, à cause de la mer merveilleusement haute et mouvementée, nous fûmes contraints de plier toutes les voiles et de lier le gouvernail, mais aussi ne pouvant plus conduire autrement le bateau, il fallut le laisser aller au gré des vagues et du vent, si bien que cela nous empêcha durant tout ce temps, alors que nous étions dans la plus grande nécessité, de pêcher un seul poisson. En somme, tout à coup, nous voilà à nouveau dans la famine jusqu'aux dents, assaillis par l'eau au dedans, et tourmentés par les vagues au dehors. [...]

Or déjà si maigres et si affaiblis que nous pouvions à peine tenir debout pour effectuer les manœuvres du bateau, au milieu de cette âpre[2] famine la nécessité suggérant néanmoins à chacun de penser et repenser à bon escient avec quoi remplir son ventre, quelques-uns s'étant avisés de découper des morceaux de rondaches[3] faites de la peau de l'animal nommé *tapiroussou*, dont j'ai parlé dans cette

notes

1. cabinet : lieu où l'on conserve des objets rares et précieux.

2. âpre : rude, pénible.

3. rondaches : boucliers ronds.

histoire, les firent bouillir dans de l'eau, pensant les manger
40 ainsi : mais cette recette ne fut pas trouvée bonne. C'est
pourquoi d'autres, qui de leur côté cherchaient aussi toutes
les inventions dont ils pouvaient s'aviser pour remédier à
leur faim, ayant mis de ces morceaux de rondaches de cuir
sur les charbons, après qu'elles furent un peu rôties, et le
45 brûlé raclé avec un couteau, cela réussit si bien qu'en les
mangeant ainsi il nous semblait que c'étaient des couennes[1]
de porc grillées. Au point que, suite à cet essai, ce fut à qui
avait des rondaches de les tenir serré[2]. Et parce qu'elles
étaient aussi dures que du cuir de bœuf sec, après qu'avec des
50 serpes et divers outils en fer elles furent entièrement découpées, ceux qui en avaient portaient les morceaux dans leurs
manches dans de petits sacs de toile, et n'en faisaient pas
moins de compte qu'ici, à terre, les gros usuriers de leurs
bourses pleines d'écus. [...]

55 Or les rondaches que j'ai mentionnées, tous les cuirs jusqu'aux couvercles des bahuts[3], et tout ce qu'on put trouver
pour se sustenter dans notre navire étant entièrement épuisé,
nous pensions être au terme de notre voyage. Mais cette
nécessité inventrice des arts suggéra à nouveau à l'esprit
60 de quelques-uns de chasser les rats et les souris, lesquels,
parce que nous leur avions ôté les miettes et toutes les autres
choses qu'ils auraient pu ronger, couraient en grand nombre
mourant de faim dans le bateau, et ceux-ci furent si bien
pourchassés à l'aide de toutes sortes de pièges à rats inventés
65 par chacun d'entre nous, qui tels des chats les épiions les yeux
ouverts même la nuit quand ils sortaient à la lune, que je crois

notes

1. couenne : peau du porc.

2. tenir serré : garder prudemment.

3. bahuts : coffres souvent garnis de cuir clouté.

qu'aussi bien cachés fussent-ils, il n'en demeura que fort peu. Et de fait, quand l'un de nous avait attrapé un rat, il l'estimait à un prix beaucoup plus élevé qu'un bœuf sur la
70 terre ferme et j'en ai vu qui étaient vendus deux, trois, jusqu'à quatre écus la pièce. Qui plus est, notre barbier en ayant une fois pris deux d'un coup, l'un d'entre nous lui fit l'offre suivante, que s'il lui en donnait un, au premier port où nous aborderions, il l'habillerait de pied en cap : ce que
75 toutefois, préférant sa vie à ces habits, le barbier refusa. Bref vous auriez vu bouillir les souris dans l'eau de mer, tripes et boyaux compris, et ceux qui pouvaient en avoir en faisaient plus de cas que nous ne faisons ordinairement des membres des moutons sur la terre ferme. [...]

80 Dieu, qui soutenait nos corps d'autre chose que de pain et des nourritures ordinaires, nous tendait la main au port, et par sa grâce fit que le vingt-quatrième jour de ce mois de mai 1558, alors que tous étendus sur le tillac[1] sans pouvoir remuer bras ni jambes, nous n'en pouvions plus, nous aper-
85 çûmes la basse Bretagne. Toutefois, pour avoir tant de fois été trompés par le pilote, qui au lieu de la terre nous avait souvent montré des nuages qui s'en étaient allés au vent, bien que le matelot installé sur la grande hune[2] criât à deux ou trois reprises « terre, terre », nous pensions que c'était encore
90 une erreur. Mais ayant mis le cap droit dessus, poussés par un vent propice, nous fûmes bientôt vite assurés que c'était vraiment la terre ferme. C'est pourquoi, en conclusion de tout ce que j'ai dit ci-dessus touchant nos afflictions[3], afin de mieux faire comprendre l'extrême détresse où nous étions

notes

1. tillac : pont supérieur d'un bateau.

2. hune : plate-forme arrondie à l'avant qui repose sur un mât.

3. afflictions : malheurs.

95 tombés, et que dans le besoin, n'ayant plus d'autre répit, Dieu eut pitié de nous et nous assista, après que nous lui eûmes rendu grâce de notre délivrance prochaine, le maître du navire dit tout haut qu'assurément, si nous étions encore restés un jour dans cet état, il avait arrêté et décidé, non pas 100 de tirer au sort comme l'ont fait certains dans une détresse semblable, mais sans dire mot de tuer l'un d'entre nous pour servir de nourriture aux autres, chose que j'appréhendais[1] d'autant moins en ce qui me concernait, qu'encore qu'aucun de nous n'eut beaucoup de graisse, toutefois à moins de ne 105 vouloir manger que de la peau et des os, ce n'eût pas été moi.

[Les voyageurs abordent enfin le 26 mai 1558 à Blavet, en Bretagne.]

En conclusion, puisque comme je l'ai montré dans la présente histoire, non seulement dans l'ensemble mais aussi 110 en particulier j'ai été délivré de tant de sortes de dangers, voire de tant de gouffres mortels, ne puis-je pas affirmer avec cette sainte femme, mère de Samuel[2], que j'ai vérifié par l'expérience que l'Éternel est celui qui fait mourir et vivre ? celui qui fait descendre dans la fosse et en fait remonter ? 115 Oui assurément, je le crois pour d'aussi bonnes raisons qu'un homme en vie aujourd'hui, et toutefois si cela relevait de ma matière, je pourrais encore ajouter que par son infinie bonté il m'a retiré de beaucoup d'autres périls par lesquels je suis passé. C'est en définitive ce que j'ai observé, autant en mer

notes

1. j'appréhendais : je redoutais.

2. mère de Samuel : Anne, la mère du prophète Samuel, longtemps stérile, obtient cependant du ciel ce fils. Dans un cantique, elle célèbre la toute-puissance de Dieu, maître des destinées humaines.

120 à l'aller et au retour de la terre de Brésil dite Amérique que parmi les Sauvages habitant ce pays, lequel, pour les raisons que j'ai amplement exposées, peut bien être appelé monde nouveau à notre égard. [...] Je prie derechef[1] les lecteurs, pour suppléer ces défauts de langage, que, considérant 125 combien la pratique du conteur dans cette histoire m'a été pénible et difficile, ils reçoivent ma bonne affection en paiement. Au roi des siècles, immortel et invisible, à Dieu seul sage, gloire et honneur pour l'éternité, Amen.

Portraits de Sauvages amenés en France, taille-douce de Pierre Firens, 1613.

notes

1. *derechef* : à nouveau.

Au fil du texte

Questions sur le chapitre 22 (pages 98 à 103)

AVEZ-VOUS BIEN LU ?

1. Combien de temps la traversée en mer, du Brésil en France, a-t-elle duré ?

ÉTUDIER L'ÉCRITURE : LA LANGUE DU XVIE SIÈCLE

Voici un épisode de l'*Histoire d'un voyage en terre de Brésil* qui n'a pas été adapté en français moderne.

Au moment d'embarquer pour le retour, l'auteur émet une réflexion nostalgique à l'endroit des Sauvages, qui même si elle reste indissociable de la critique morale de l'Europe et de la France en particulier, est inédite dans la littérature de voyage de l'époque, et ouvre la voie au « mythe du bon sauvage » en vogue au XVIIIe siècle (voir le groupement de textes, p. 120).

« [...] *dés le mesme jour quatriesme de Janvier, ayant levé l'ancre, nous mettans en la protection de Dieu, nous nous mismes derechef à naviger sur ceste grande et impetueuse mer Oceane et du Ponent. Non pas toutesfois sans grandes craintes et apprehensions : car à cause des travaux que nous avions endurez en allant, n'eust esté le mauvais tour que nous joua Villegagnon, plusieurs d'entre nous, ayans là non seulement moyen de servir à Dieu, comme nous desirions, mais aussi gousté la bonté et fertilité du pays, n'avoyent pas deliberé de retourner en France, où les difficultez estoyent lors et sont encores à present, sans comparaison beaucoup plus grandes, tant pour le faict de la Religion que pour les choses concernantes ceste vie. Tellement que pour dire Adieu ici à l'Amerique, je confesse en mon particulier, combien que j'aye tousjours aimé et aime encores ma patrie : neantmoins voyans non seulement le peu, et presques point du tout de fidelité qui y reste, mais, qui pis est, les desloyautez dont on y use les uns envers les autres, et brief que tout nostre cas estant maintenant Italianisé*[1]*, ne consiste qu'en dissimulations et paroles sans effects, je regrette souvent que je ne suis parmi les Sauvages, ausquels (ainsi que j'ay amplement monstré en ceste histoire) j'ay cogneu plus de rondeur qu'en plusieurs de par-deça, lesquels à leur condamnation, portent titre de Chrestiens. »*

2. Recherchez dans un dictionnaire historique le sens de *« travaux »* au XVIe siècle.

3. *« Mesme, quatriesme » :* relevez les termes présentant la même différence orthographique entre le XVIe siècle et aujourd'hui.

4. *« Mettans » :* donnez la nature de ce terme et son orthographe actuelle.
Relevez les exemples semblables.

5. *« Endurez » :* donnez la nature et l'orthographe actuelle de ce terme. Quels noms communs présentent la même variation orthographique ?

6. À quel temps sont conjugués *« avoyent »* et *« estoyent »* ? Quelles sont les terminaisons actuelles ?

7. Quelles autres différences orthographiques constatez-vous dans ce texte ?

8. Maintenant, à vous de traduire ce texte !
Aide : *« derechef » :* une seconde fois, à nouveau ;
« n'eust esté [...] *que nous joua Villegagnon » :*
si Villegagnon ne nous avait pas joué un mauvais tour, sans le mauvais tour que nous joua Villegagnon ;
« rondeur » : franchise ;
« par-deça » : ici, en Europe, par opposition à *par-delà*, de l'autre côté de l'océan.

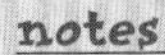

1. *Italianisé :* l'attaque vise la mère du roi, Catherine de Médicis, d'origine italienne, et les Italiens jugés trop puissants à la cour.

ÉTUDIER UN THÈME : L'AVENTURE EN MER

9. Comment le bateau dans lequel Jean de Léry et ses compagnons se sont embarqués est-il décrit ?

10. Quels sont les périls successifs rencontrés par les voyageurs ?

11. Quelles sont les différentes solutions adoptées face au manque de vivres ?

plan américain : **montre le personnage coupé à la taille.**

gros plan : **ne montre qu'une partie du personnage ou de l'objet.**

plongée : **vue d'en haut.**

contre-plongée : **vue d'en bas.**

ÉTUDIER LA PLACE ET LA FONCTION DE L'EXTRAIT DANS L'ŒUVRE

12. De quels chapitres peut-on rapprocher le chapitre 22 ?

13. Quel enseignement Jean de Léry a-t-il retiré de son aventure brésilienne ?

14. Quelles sont toutes les raisons pour lesquelles il raconte son histoire ?

À VOS PLUMES !

15. Improvisez-vous réalisateur de cinéma et rédigez le script des scènes et des images sur lesquelles s'achève votre film. Dressez la liste des éléments du chapitre 22 que vous retenez, précisez les attitudes et paroles éventuelles des différents acteurs, et les plans* et mouvements de la caméra.

Retour sur l'œuvre

1. Que savez-vous du genre du texte ?
Associez les éléments de la première liste à ceux de la seconde.

1) Récit didactique.

2) Récit polémique.

3) Récit moraliste.

4) Récit de voyage autobiographique.

a) Description des us et coutumes des Indiens (chap. 8 à 19).

b) Critique de Villegagnon (chap. 6).

c) Récit d'une expérience vécue (tous les chapitres).

d) Précision de l'information, par exemple, description des parures que fabriquent les Brésiliens, pages 45 à 47.

e) Critique de ceux qui parlent d'après les livres et les rumeurs d'un monde qu'ils ignorent (page 19).

f) Détail de la faune et de la flore brésiliennes (chap. 9 à 13).

g) Valorisation des Sauvages et critique de la société européenne (par exemple, pages 83 et 84).

h) Présence d'un narrateur personnage identifié à l'auteur (pages 67-68).

2. Qui se bat contre qui ?

Les Espagnols se battent contre ....

....

Les Portugais se battent contre ....

....

Les Français doivent affonter ....

....

Les *Ouetacas* affrontent ....

3. Qui sont les barbares ? Complétez les pointillés.

Les Indiens sont barbares, car ....
....
....

Les Européens sont barbares, car ....
....
....

4. Qui suis-je ? Mettez un nom en face de chacune de ces déclarations.

a) Je suis le plus farouche et le plus rapide des Sauvages :
....

b) À la couleur de mon habit, on connaît mon humeur :
....

c) Je ne comprends pas pourquoi les Européens emmènent tant de bois de brésil :
....

d) J'aime contempler le visage de l'homme :
....

e) Je confectionne la farine avec des racines :
....

f) Je suis parti au Brésil pour servir la gloire de Dieu :
....

g) Je mange de la chair humaine crue :
....

5. Parlez-vous *tupi* ? Traduisez ces éléments.

a) Gril : ....
b) Animal comestible le plus répandu au Brésil :
....
c) Boisson favorite des Indiens : ....
d) Tabac : ....
e) Français : ....
f) Hôte qui accueille l'étranger chez lui : ....

Dossier
Bibliocollège

Schéma narratif

Chapitres	Thèmes
1, 2, 4	Préparatifs et voyage en mer de Villegagnon, puis de Jean de Léry.
5	Premier contact avec la terre et les habitants d'Amérique.
6	Rupture avec Villegagnon.
8	Le corps des Indiens.
9, 10, 12, 13	Leur alimentation : farine et boisson, viandes, poissons et végétaux.
14, 15	Les Indiens en guerre.
16, 18, 19	Organisation de leur société.
22	Périls du retour en mer.

Il était une fois Jean de Léry

Né en 1536, en Bourgogne, modeste cordonnier, Jean de Léry se convertit très tôt aux idées de la Réforme et doit se réfugier à Genève dès l'âge de vingt ans. C'est alors qu'il se joint à la mission envoyée par Calvin au Brésil pour fournir des renforts à Villegagnon. Parti en 1556, il est de retour deux ans plus tard, et se retrouve pris dans la tourmente des guerres de religion. D'abord pasteur à Nevers, au moment de la Saint-Barthélemy, il fuit à Sancerre, qui est assiégée plus d'un an par les troupes catholiques avant de capituler, en août 1573. Jean de Léry, qui a été chargé des négociations, publie l'année suivante l'*Histoire mémorable de la ville de Sancerre*, son premier ouvrage. En 1578, vingt ans après son retour du Brésil, il fait enfin paraître l'*Histoire d'un voyage en terre de Brésil*, rééditée cinq fois avant sa mort en 1613.
Toute sa vie, Léry est hanté par le souvenir des Indiens, mais en tant que pasteur protestant il ressent face à eux un profond malaise. En effet, même s'il les découvre meilleurs et plus humains que nombre de chrétiens, même s'il répète qu'il « aimerait mieux être parmi ses Sauvages », ceux-ci n'en sont pas moins perdus à ses yeux pour n'avoir pas été élus de Dieu et rester fermés à sa parole.

Dates clés

1536 : naissance de Jean de Léry. Il est cordonnier, puis pasteur.

1574 : *Histoire mémorable de la ville de Sancerre*, chronique du siège de cette ville.

1578 : *Histoire d'un voyage en terre de Brésil.*

1613 : mort de Jean de Léry.

Au temps des grandes découvertes et des conflits religieux

Les premiers pas

En 1492, alors qu'il croit être au Japon, Christophe Colomb découvre les Antilles. Quelques années plus tard, Amerigo Vespucci explore les côtes de l'Amérique du Sud pour le compte de l'Espagne, et le Portugais Pedro Alvares Cabral arrive au Brésil en 1500. Mais les Espagnols, se fondant sur la navigation de Vespucci, revendiquent aussi cette découverte. Dès 1493, par la bulle *Inter Caetera*, le pape Alexandre VI Borgia partage entre l'Espagne et le Portugal les terres découvertes et à découvrir, mais le différend subsiste et n'est réglé que l'année suivante, lors du traité de Tordesillas. Si le Brésil devient alors portugais, les autres nations européennes se lancent néanmoins dans une course effrénée à la conquête de nouvelles terres, de richesses toujours plus abondantes, et d'âmes indigènes que l'on veut convertir au christianisme. Théâtre où s'affrontent Espagnols, Portugais et Français, mais aussi catholiques et protestants, le Nouveau Monde subit une colonisation sanglante, qui décime la population indigène.

Le rêve d'une colonie française protestante au Brésil

C'est peu à peu qu'est née l'idée de fonder au Brésil un refuge pour les protestants persécutés en France. En novembre 1555, les navires de Villegagnon pénètrent dans la baie de Guanabara, ou Rio de Janeiro, expédition dont l'amiral Gaspard de Coligny, principal chef protestant en France, soucieux du sort des réformés mais aussi désireux de concurrencer l'Espagne et le Portugal, est le véritable instigateur. Mais au Fort-Coligny, fondé par les navigateurs français, ce sont des conflits permanents. Truchements[1] et colons se révoltent contre la vie austère imposée par Villegagnon, alors que dans le même temps les Indiens maltraités refusent de fournir des vivres. Villegagnon demande alors des renforts à Calvin, et ce sont trois cents personnes qui débarquent en 1556, dont Jean de Léry.

L'échec de la tentative

L'*Histoire d'un voyage en terre de Brésil* décrit des relations d'abord amicales, alors que tous croyaient participer à la fondation d'une petite communauté protestante. Mais très vite, les rapports se dégradent. Retourné au catholicisme, Villegagnon décide de combattre l'hérésie[2], et nombre de protestants, dont Jean de Léry, quittent le fort pour aller vivre avec les Indiens avant d'embarquer pour la France en janvier 1558. Quant à Villegagnon, il abandonne la région l'année suivante.

Dates clés

1492 : Christophe Colomb découvre les Antilles.

1500 : arrivée de Pedro Alvarez Cabral au Brésil.

1555 : fondation de la colonie française protestante au Brésil. C'est un échec moins de cinq ans après.

1. truchements : interprètes.

2. hérésie : opinion émise au sein de l'Église catholique et condamnée par elle ; désigne ici le protestantisme.

Quelques protestants y restent, mais en 1560 les Portugais mettent définitivement fin à l'aventure de la France antarctique en s'emparant de la colonie.

Pendant ce temps, en France et en Europe, des guerres d'Italie...

Ces guerres de succession qui ont pour théâtre l'Italie sont l'occasion d'un premier contact entre une nation française peu éduquée et une civilisation italienne éclatante. En 1515, par la victoire de Marignan, François Ier (1515-1547) s'empare de Milan, Parme et Plaisance, mais les affrontements ne prennent fin qu'en 1559, lors de la paix de Cateau-Cambrésis. Henri II, successeur de François Ier, doit alors renoncer aux prétentions françaises. Accaparés par les conflits religieux, les rois français ont désormais d'autres problèmes à régler.

... aux guerres de religion

À retenir

Née en Allemagne avec Luther, diffusée en France par Calvin, la Réforme se fonde sur le dogme du salut par la foi et la lecture directe des textes sacrés.

Née en Allemagne avec Luther (1483-1546), religieux inquiet de son salut[1], la Réforme se développe ensuite en France où l'humanisme lui a préparé la voie en rendant possible, grâce aux traductions, la lecture directe des textes sacrés. Les réformés français empruntent leurs idées à Calvin (1509-1564), d'après lequel l'homme ne peut espérer pour son salut qu'en la grâce divine, Dieu, maître des destinées, ayant promis les uns à la vie éternelle et les autres à la damnation.

1. ***salut :*** fait d'être pardonné de ses péchés et donc sauvé de la damnation.

À Genève, Calvin organise une Église conforme à ses convictions, tout en s'intéressant à la France, où dès 1559 débute une longue période de répression et de guerres civiles.
La fin du règne d'Henri II (1547-1559) est en effet marquée par la recrudescence des persécutions visant les réformés. La tension ne cesse de croître, et en mars 1562, lorsque le duc de Guise passe au fil de l'épée des protestants qui chantaient des psaumes en français, ce « massacre de Wassy » donne le signal des guerres dites « de religion ». Périodes de paix relative et de conflits armés alternent alors, mais avec la Saint-Barthélemy, le pays sombre dans la violence : à l'occasion du mariage du protestant Henri de Navarre et de la catholique Marguerite de Valois, sœur du roi Charles IX (1560-1574), la nuit du 23 au 24 août 1572 et les jours suivants, les catholiques massacrent plus de trente mille protestants, l'amiral de Coligny étant l'une des premières victimes. Désormais irréconciliables, les partis catholique et protestant se déchirent, mettant la France à feu et à sang.
Après l'assassinat d'Henri III (1574-1589), le 1er août 1589, Henri de Navarre, pour mettre fin à la guerre et accéder au trône dont il est l'héritier mais qui exige un roi catholique, abjure le protestantisme. Les ralliements à celui qui s'appelle désormais Henri IV, roi légitime, se multiplient et rendent possible la réunification et la reconstruction du royaume. En 1598, l'édit de Nantes accorde aux protestants des garanties de liberté et de sécurité, inaugurant enfin une période durable de tolérance et de paix.

Dates clés

1562 : début des guerres de religion avec le massacre de Wassy.

1572 : massacres de la Saint-Barthélemy.

1589 : début du règne d'Henri IV.

1598 : édit de Nantes.

Culture renaissante et humaniste

Marquée par une soif de toutes les connaissances, dont témoigne la création en 1530 de l'actuel Collège de France, par la redécouverte des textes de l'Antiquité grecque et latine, la Renaissance connaît son apogée à partir des années 1540. Riche et variée, la production littéraire, dont l'imprimerie facilite la diffusion, concerne tous les genres : le roman, avec *Pantagruel* et *Gargantua* de Rabelais en 1532 et 1534 ; les contes, tels les *Propos rustiques* de Noël du Fail en 1547, ou les *Nouvelles récréations et joyeux devis* de Bonaventure des Périers en 1558 ; la nouvelle, illustrée par l'*Heptaméron* de Marguerite de Navarre, paru en 1559 ; mais aussi la poésie, avec les poètes de la Pléiade : du Bellay et Ronsard. Les livres moraux et religieux, les œuvres politiques et historiques sont aussi très prisés, et lorsque les circonstances historiques s'aggravent, dans la tourmente des troubles religieux, la littérature polémique bat son plein. Hors de cette littérature au destin éphémère, une œuvre fait date. Ce sont les *Essais* de Montaigne, dont les deux premiers livres, où figure le chapitre « Des Cannibales », paraissent en 1580, deux ans après l'*Histoire d'un voyage en terre de Brésil* de Jean de Léry. Huit ans plus tard paraît le troisième livre des *Essais* qui compte le chapitre « Des Coches » (voir le groupement de textes, page 120).

À retenir

Grâce aux guerres d'Italie, la Renaissance italienne pénètre en France. À partir de 1540, c'est l'apogée de la Renaissance. La création littéraire est variée et de qualité.

Au-delà du récit de voyage

Du *Livre des merveilles du monde* de Marco Polo (1298) et du *Journal de bord* de Christophe Colomb (rédigé en 1492-1493) aux *Singularités de la France antarctique* d'André Thevet[1] (1557), les récits de voyage et les textes documentaires sur le Nouveau Monde fleurissent, surtout au cours du XVIe siècle. Parue pour la première fois en 1578, l'*Histoire d'un voyage en terre de Brésil* de Jean de Léry ne connaît pas moins de cinq éditions du vivant de l'auteur, signe du succès d'une œuvre riche d'enseignements et dont l'aspect informatif est dépassé par une dimension polémique, une qualité d'écriture, un pouvoir évocateur et un investissement personnel qui en font toute la valeur.

Un document ethnographique[2] vivant

Cherchant à décrire un monde nouveau, ignoré du public européen, l'*Histoire d'un voyage en terre de Brésil*, que Claude Lévi-Strauss désigne comme le bréviaire de tout ethnographe, est reconnue pour la précision d'une information fondée sur l'observation directe. Détaillant minutieusement la faune et la flore brésiliennes, elle renseigne aussi sur la vie quotidienne des Indiens.

---

1. *André Thevet* : moine et voyageur français (1503-1592). Il participe à l'expédition de Villegagnon au Brésil (1555).

2. *ethnographie* : étude des usages des groupes humains.

Mais ce livre fait plus qu'informer. Par la magie de l'écriture, il donne vie à ce qu'il décrit et transporte le lecteur dans une forêt vierge saturée de parfums et de couleurs, habitée par des Indiens bien vivants, qui rient, chantent et hurlent à la mort comme chiens et loups.

Une œuvre trois fois polémique

En décembre 1557 paraissent les *Singularités de la France antarctique* d'André Thevet, et c'est en partie contre cet ouvrage qu'écrit Jean de Léry. Selon lui, les affirmations de cet auteur sont erronées, ne se fondant pas sur l'expérience vécue mais sur des lectures et des rumeurs. En effet, si Thevet s'est bien rendu au Brésil, il était malade et a dû passer une bonne partie de son séjour sans sortir du Fort-Coligny. Quant à Jean de Léry, ne décrivant que ce qu'il a lui-même observé, il s'oppose à tous ceux qui plaquent des connaissances livresques sur le réel.
Mais l'*Histoire d'un voyage en terre de Brésil* rejoint aussi les nombreuses attaques des réformés contre Villegagnon, violemment critiqué pour son comportement et accusé d'avoir fait périr trois protestants au Brésil. Comme ces auteurs, Jean de Léry veut rétablir la vérité, innocenter les protestants de la colonie de Guanabara accusés de complot contre Villegagnon, notamment par Thevet, et rendus responsables de l'échec de la colonie.
Soulignant la différence entre Indiens et Européens, Léry accuse aussi la déchéance de ses semblables, qu'il tente désespérément de convertir. Valorisés dans la beauté,

la force et la vigueur de leur corps, dans leur éternelle jeunesse et leur harmonie avec la nature, mais aussi dans leur sagesse, les Sauvages contrastent avec l'homme du Vieux Monde, entravé dans des vêtements empesés, redoutant le chaud et le froid, barbare et cruel, fou furieux entraîné aveuglément dans la course au gain.

Un récit autobiographique à l'origine d'un mythe

Mais l'*Histoire d'un voyage en terre de Brésil* est aussi et surtout le récit d'une aventure, celle d'un jeune homme qui porte un regard neuf sur le monde qu'il découvre. Regard neuf mais également nostalgique, car lorsque Jean de Léry écrit, le temps a passé, et il regrette d'autant plus les Indiens, si loin à présent, que dans les conflits religieux, la barbare cruauté de ses contemporains s'est révélée au grand jour. Embelli par le souvenir, l'Indien devient, sous la plume de Jean de Léry, un « bon sauvage », un sage en accord avec la nature, un contrepoint critique aux Européens dépravés, promis à un bel avenir. C'est en effet ce sauvage littéraire qui au XVIIIe siècle (voir le groupement de textes, page 120), permettra de remettre en question les us et coutumes européens. C'est l'ancêtre du Tahitien de Diderot qui servira de conscience critique à la vieille Europe.

À retenir

- Vif succès du *Voyage en terre de Brésil* lors de la parution en 1578.
- Document précis et vivant sur le Brésil.
- Critique des actes de Villegagnon contre les protestants et des *Singularités de la France antarctique* d'André Thevet.
- Récit nostalgique, précurseur du mythe du bon sauvage.

Groupement de textes :

Des sauvages de papier

Apparue au XVIe siècle avec les Cannibales de Jean de Léry et de Montaigne, l'image du « bon sauvage » non corrompu par la civilisation prend toute son ampleur au XVIIIe siècle. Motif littéraire, construction de l'esprit, ce sauvage de papier n'est autre que le moyen d'une prise de conscience, celle de la perte d'une nature et d'une bonté originelles de l'homme. Il ne s'agit évidemment pas de retourner à un état primitif, mais de mesurer la distance qui nous en sépare, et parallèlement au progrès matériel, tenter un progrès spirituel.
Au XXe siècle encore, le sauvage en parfaite harmonie avec la nature révèle le divorce de l'homme civilisé avec celle-ci.

Les *Essais*, de Michel de Montaigne

En 1580 paraissent les *Essais* de Michel de Montaigne (1533-1592), registre des réflexions de cet écrivain contemporain de Jean de Léry. Dans le chapitre « Des Cannibales », après avoir décrit le physique et les us et coutumes des Sauvages, après avoir expliqué les circonstances de leur anthropophagie et rappelé les pratiques tout aussi barbares des Européens, l'auteur fait intervenir ces Indiens idéalisés, dont la sagesse révèle la folie de l'Europe. Voici ce discours porteur de vérité, entendu lors d'une cérémonie à Rouen.

Trois d'entre eux, ignorant combien coûtera un jour à leur repos et à leur bonheur la connaissance des corruptions de deçà, et que de ce commerce naîtra leur ruine, comme je présuppose qu'elle soit déjà avancée, bien misérables de s'être laissés piper au désir de la nouveauté, et avoir quitté la douceur de leur ciel pour venir voir le nôtre, furent à Rouen, du temps que le feu roi Charles neuvième y était. Le Roi parla à eux longtemps ; on leur fit voir notre façon, notre pompe, la forme d'une belle ville. Après cela quelqu'un en demanda leur avis, et voulut savoir d'eux ce qu'ils y avaient trouvé de plus admirable [...]. Ils dirent qu'ils trouvaient en premier lieu fort étrange que tant de grands hommes, portant barbe, forts et armés, qui étaient autour du Roi (il est vraisemblable qu'ils parlaient des suisses de sa garde), se soumissent à obéir à un enfant, et qu'on ne choisissait plutôt l'un d'entre eux pour commander ; secondement (ils ont une façon particulière de parler et nomment les hommes moitié les uns des autres) qu'ils avaient aperçu qu'il y avait parmi nous des hommes pleins et gorgés de toutes sortes de commodités, et que leurs moitiés étaient en train de mendier à leurs portes, décharnées par la faim et la pauvreté ; et ils trouvaient étrange comment ces moitiés-ci nécessiteuses pouvaient souffrir une telle injustice en sorte qu'elles ne prissent les autres à la gorge, ou missent le feu à leur maison.

Je parlai à l'un d'eux fort longtemps [...]. Sur ce que je lui demandai quel fruit il recevait de la supériorité qu'il avait parmi les siens (car c'était un capitaine, et nos matelots le nommaient Roi), il me dit que c'était marcher le premier à la guerre ; de combien d'hommes il était suivi, [...] ce pouvait être quatre ou cinq mille hommes ; si, hors la guerre, toute son autorité était expirée, il dit qu'il lui en restait cela que, quand il visitait les villages qui dépendaient de lui, on lui dressait des sentiers au travers des haies de leurs bois, par où il pût passer bien à l'aise.

Tout cela ne va pas trop mal : mais quoi, ils ne portent point de haut de chausses.

Extraits de Michel de Montaigne, adaptés en français moderne par Fanny Marin, *Essais*, livre I, 31, « Des Cannibales ».

Huit ans plus tard, Montaigne publie le troisième et dernier livre des *Essais*. Dans le chapitre « Des Coches », il accuse le Vieux Monde, voué à disparaître, de la destruction de ce Nouveau Monde, récemment découvert. Paré de toutes les vertus, celui-ci est un contrepoint critique à l'Europe corrompue.

Notre monde vient d'en trouver un autre [...] non moins grand, plein et membru que lui, toutefois si nouveau et si enfant qu'on lui apprend encore son a, b, c : il n'y a pas cinquante ans qu'il ne savait ni lettres, ni poids, ni mesures, ni vêtements, ni blés, ni vignes. Il était encore tout nu au giron, et ne vivait que des moyens de sa mère nourrice. Si nous concluons bien de notre fin [...], cet autre monde ne fera qu'entrer en lumière quand le nôtre en sortira. L'univers tombera en paralysie ; l'un membre sera perclus, l'autre en vigueur. Bien crains-je que nous aurons bien fort hâté sa déclinaison et sa ruine par notre contagion, et que nous lui aurons bien cher vendu nos opinions et nos arts. C'était un monde enfant ; si ne l'avons nous pas foité et soumis à notre discipline par l'avantage de notre valeur et forces naturelles, ni ne l'avons pratiqué par notre justice et bonté, ni subjugué par notre magnanimité. La plupart de leurs réponses et des négociations faites avec eux témoignent qu'ils ne nous devaient rien en clarté d'esprit naturelle et en pertinence. L'épouvantable magnificence des villes de Cusco et de Mexico, [...] montre qu'ils ne nous cédaient non plus en industrie. Mais, quant à la dévotion, observance des lois, bonté, libéralité, loyauté, franchise, il nous a bien servi de n'en avoir pas tant qu'eux : ils se sont perdus par cet avantage, et vendus, et trahis eux-mêmes. Quant à la hardiesse et courage, quant à la fermeté, constance, résolution contre les douleurs et la faim et la mort, je ne craindrais pas d'opposer les exemples que je trouverais parmi eux aux plus fameux exemples anciens que nous ayons aux mémoires de notre monde par deçà.

Extraits de Michel de Montaigne, adaptés en français moderne par Fanny Marin, *Essais*, livre III, 6, « Des Coches ».

Discours sur l'origine et les fondements de l'inégalité parmi les hommes, de Jean-Jacques Rousseau

En 1755, en réponse à la question proposée à la réflexion par l'académie de Dijon, Jean-Jacques Rousseau (1712-1778), qui deviendra un philosophe et un écrivain célèbre, publie le *Discours sur l'origine et les fondements de l'inégalité parmi les hommes*. Pour expliquer l'inégalité, l'auteur reconstitue par le raisonnement l'évolution de l'homme primitif à l'homme civilisé. Étape intermédiaire entre la pure nature et la société aboutie, le second état de nature décrit ici fut selon Rousseau le plus heureux de l'histoire de l'homme. Largement idéalisé, ce tableau de la vie primitive est pour beaucoup dans la création du « mythe du bon sauvage ».

Ainsi, quoique les hommes fussent devenus moins endurants, et que la pitié naturelle eût déjà souffert quelque altération, cette période du développement des facultés humaines, tenant un juste milieu entre l'indolence de l'état primitif et la pétulante activité de notre amour-propre, dut être l'époque la plus heureuse et la plus durable. Plus on y réfléchit, plus on trouve que cet état était le moins sujet aux révolutions, le meilleur à l'homme, et qu'il n'en a dû sortir que par quelque funeste hasard qui pour l'utilité commune eût dû ne jamais arriver. L'exemple des sauvages qu'on a presque tous trouvés à ce point semble confirmer que le genre humain était fait pour y rester toujours, que cet état est la véritable jeunesse du monde, et que tous les progrès ultérieurs ont été en apparence autant de pas vers la perfection de l'individu, et en effet vers la décrépitude de l'espèce.

Tant que les hommes se contentèrent de leurs cabanes rustiques, tant qu'ils se bornèrent à coudre leurs habits de peaux avec des épines ou des arêtes, à se parer de plumes et de coquillages, à se peindre le corps de diverses couleurs, à perfectionner ou embellir leurs arcs et leurs flèches, à tailler avec des pierres tranchantes quelques canots de pêcheurs ou quelques grossiers instruments de musique, en un mot tant qu'ils ne s'appliquèrent qu'à des ouvrages qu'un seul pouvait faire, et qu'à des arts qui n'avaient pas besoin du concours de plusieurs mains, ils vécurent libres, sains, bons et heureux autant qu'ils pouvaient l'être par leur nature, et continuèrent à jouir entre eux des douceurs d'un commerce indépendant : mais dès l'instant qu'un homme eut besoin du secours d'un autre ; dès qu'on s'aperçut qu'il était utile à un seul d'avoir des provisions pour deux, l'égalité disparut, la propriété s'introduisit, le travail devint nécessaire et les vastes forêts se changèrent en des campagnes riantes qu'il fallut arroser de la sueur des hommes, et dans lesquelles on vit bientôt l'esclavage et la misère germer et croître avec les moissons.

Jean-Jacques Rousseau, *Discours sur l'origine et les fondements de l'inégalité parmi les hommes.*

Supplément au voyage de Bougainville, de Denis Diderot

En 1772, un an après la parution du compte rendu de mission du comte Louis Antoine de Bougainville (1729-1811), premier explorateur français à réaliser un tour du monde à la voile, Denis Diderot (1713-1784), philosophe et écrivain français, auteur de contes, d'essais, de critiques d'art et de nombreux articles de l'*Encyclopédie*, rédige un *Supplément au voyage de Bougainville*. Il y prêche la tolérance et le respect mutuels des mœurs et des civilisations. Car ce que les Européens ont introduit à Tahiti, c'est la violence, la peur et l'esclavage, et dans les adieux du vieillard sauvage aux voyageurs français, la civilisation européenne est vivement remise en cause.

> Puis s'adressant à Bougainville, [le vieillard] ajouta : « Et toi, chef de brigands qui t'obéissent, écarte promptement ton vaisseau de notre rive : nous sommes innocents, nous sommes heureux ; et tu ne peux que nuire à notre bonheur. Nous suivons le pur instinct de la nature ; et tu as tenté d'effacer de nos âmes son caractère. Ici tout est à tous ; et tu nous as prêché je ne sais quelle distinction du *tien* et du *mien*. Nos filles et nos femmes nous sont communes ; tu as partagé ce privilège avec nous ; et tu es venu allumer en elles des fureurs inconnues. Elles sont devenues folles dans tes bras ; tu es devenu féroce entre les leurs. Elles ont commencé à se haïr ; vous vous êtes égorgés pour elles ; et elles nous sont revenues teintes de votre sang. Nous sommes libres ; et voilà que tu as enfoui dans notre terre le titre de notre futur esclavage. Tu n'es ni un dieu, ni un démon : qui es-tu donc, pour faire des esclaves ? Orou ! toi qui entends la langue de ces hommes-là, dis-nous à tous, comme tu me l'as dit à moi-même, ce qu'ils ont écrit sur cette lame de métal : *Ce pays est à nous*. Ce pays est à toi ! et pourquoi ? parce que tu y as mis le pied ? Si un Tahitien débarquait un jour sur vos côtes, et qu'il gravât sur une de vos pierres ou sur l'écorce d'un de vos arbres : *Ce pays est aux habitants de Tahiti*, qu'en penserais-tu ? [...] Laisse-nous nos mœurs ; elles sont plus sages et plus honnêtes que les tiennes ; nous ne voulons point troquer ce que tu appelles notre ignorance contre tes inutiles lumières. Tout ce qui nous est nécessaire et bon, nous le possédons. Sommes-nous dignes de mépris, parce que nous n'avons pas su nous faire de besoins superflus ? Lorsque nous avons faim, nous avons de quoi manger ; lorsque nous avons froid, nous avons de quoi

nous vêtir. Tu es entré dans nos cabanes, qu'y manque-t-il, à ton avis ? [...] Si tu nous persuades de franchir l'étroite limite du besoin, quand finirons-nous de travailler ? Quand jouirons-nous ? Nous avons rendu la somme de nos fatigues annuelles et journalières la moindre qu'il était possible, parce que rien ne nous paraît préférable au repos. Va dans ta contrée t'agiter, te tourmenter tant que tu voudras ; laisse-nous reposer : ne nous entête ni de tes besoins factices, ni de tes vertus chimériques. »

Denis Diderot, *Supplément au voyage de Bougainville.*

Vendredi ou les limbes du Pacifique, de Michel Tournier

Échoué sur une île, longtemps solitaire, Robinson a enfin un compagnon, un sauvage métis qu'il a baptisé Vendredi. Peu à peu, il apprend à découvrir cet autre si différent de lui et, dans son journal, il exprime son admiration face à la beauté de ce corps en parfaite harmonie avec la nature.

Sur le miroir mouillé de la lagune, je vois Vendredi venir à moi, de son pas calme et régulier, et le désert de ciel et d'eau est si vaste autour de lui que plus rien ne donne l'échelle, de telle sorte que c'est peut-être un Vendredi de trois pouces placé à portée de ma main qui est là, ou au contraire un géant de six toises distant d'un demi mille...

Le voici. Saurai-je jamais marcher avec une aussi naturelle majesté ? Puis-je écrire sans ridicule qu'il semble drapé dans sa nudité ? Il va, portant sa chair avec une ostentation souveraine, se portant en avant comme un ostensoir de chair. Beauté évidente, brutale, qui paraît faire le néant autour d'elle.

Il quitte la lagune et s'approche de moi, assis sur la plage. Aussitôt qu'il a commencé à fouler le sable semé de coquillages concassés, dès qu'il est passé entre cette touffe d'algues mauves et ce rocher, réintégrant ainsi un paysage familier, sa beauté change de registre : elle devient grâce. Il me sourit et fait un geste vers le ciel – comme certains anges sur des peintures religieuses – pour me signaler sans doute qu'une brise sud-ouest chasse les nuées accumulées depuis plusieurs jours et va restaurer pour longtemps la royauté absolue du soleil. Il esquisse un pas de danse qui fait chanter l'équilibre des pleins et déliés de son corps. Arrivé près de moi, il ne dit rien, taciturne compagnon. Il se retourne et regarde la lagune où il marchait tout à l'heure. Son âme flotte parmi les brumes qui enveloppent la fin d'un jour incertain, laissant son corps planté dans le sable sur ses jambes écarquillées.

Michel Tournier, *Vendredi ou les limbes du Pacifique*, Gallimard, 1967, p. 178.

Bibliographie et filmographie

Encore plus d'aventure

Yves-Marie Clément, *L'Île aux iguanes*.
Dorothy Crayder, *Maggie, voyageuse au long cours*.
Daniel Defoe, *Robinson Crusoé*.
Jerome K. Jerome, *Trois hommes dans un bateau*.
Marco Polo, *Le Livre des merveilles du monde*.
J.-C. Rufin, *Rouge Brésil, Gallimard*.
R. L. Stevenson, *L'Île au trésor*.
Eugène Sue, *Kernok le pirate*.
Michel Tournier, *Vendredi ou la vie sauvage*.
Jules Verne, *Le Tour du monde en quatre-vingts jours*.

Sur les grandes découvertes

Louis-René Nougié, *Au temps des Mayas, des Aztèques et des Incas*, coll. « La vie privée des hommes », Hachette, 1985.

Un film

1492 Christophe Colomb, de Ridley Scott, 1992.

Imprimé en Italie par «La Tipografica Varese S.p.A.»
Dépôt légal : Decembre 2007
Collection n° 46 - Edition n° 07
16/8135/2